何建明文集

卷八

破天荒

何建明 著

新世界出版社
NEW WORLD PRESS

图书在版编目（CIP）数据

破天荒 / 何建明著 . -- 北京 : 新世界出版社 ,
2018.3
（何建明文集 ; 8）
ISBN 978-7-5104-6342-6

Ⅰ . ①破… Ⅱ . ①何… Ⅲ . ①报告文学 – 中国 – 当代
Ⅳ . ① I25

中国版本图书馆 CIP 数据核字 (2017) 第 170479 号

破天荒

作　　者 : 何建明
特邀丛书编辑 : 韩小群
责任编辑 : 贾瑞娜
责任校对 : 宣　慧
责任印制 : 王宝根　苏爱玲
出版发行 : 新世界出版社
社　　址 : 北京西城区百万庄大街 24 号(100037)
发 行 部 :（010）6899 5968 （010）6899 8705（传真）
总 编 室 :（010）6899 5424 （010）6832 6679（传真）
http://www.nwp.cn
http://www.nwp.com.cn
版 权 部 : +8610 6899 6306
版权部电子信箱 : nwpcd@sina.com
印　　刷 : 北京京华虎彩印刷有限公司
经　　销 : 新华书店
开　　本 : 710mm × 1000mm　1/16
字　　数 : 200 千字　　印　　张 : 13
版　　次 : 2018 年 3 月第 1 版　2018 年 3 月第 1 次印刷
书　　号 : ISBN 978-7-5104-6342-6
定　　价 : 36.00 元

1978 年——中国改革开放启幕

1978 年——我的文学生涯开始

庆幸，我的命运与时代、与祖国同行。还有一份安慰：当我离开这个世界时，有人可以从我的文字里触摸到中国今天的脉搏是如何跳动的……

何建明

重要创作历程及个人成就

1978 年	创作第一篇中篇散文《湘西探险记》
1980 年	发表第一篇报告文学《腾飞吧，苍龙》
1982 年	创作第一部军事题材小说《第二道战壕》
1986 年	出版第一部报告文学作品集《缉私大王》
1988 年	出版第一部长篇小说《东方毒蛇》
1989 年	由同名作品改编的电影剧本《西行囚车》被搬上银幕，此片获珠江电影制片厂优秀故事片奖
1990 年	第一次获中华宝石文学奖
1993 年	任文学杂志《新生界》主编
1993 年	发表第一部长篇报告文学《野性的黑潮》
1994 年	第一次成为《青年文学》封面人物
1995 年	《共和国告急》出版，此后获第一届鲁迅文学奖
1995 年	《科学大师的名利场》发表
1998 年	《落泪是金》发表，此后获第二届鲁迅文学奖、第一届徐迟报告文学奖、中国改革开放优秀报告文学奖
2000 年	《中国高考报告》出版，此后获第一届正泰杯全国报告文学奖
2001 年	《中国高考报告》被日本、澳大利亚翻译出版
2002 年	《根本利益》发表，此后获第二届徐迟报告文学奖、人民文学奖特等奖、第六届国家图书奖提名奖、第二届正泰杯全国报告文学奖，入选中宣部推荐的党的十五大献礼书目
2002 年	《国家行动：三峡大移民》出版，此后获中宣部第九届“五个一工程”奖，入选中宣部推荐的党的十六大献礼书目

2003 年　《北京保卫战》发表，获《文汇报》优秀作品奖

2003 年　完成电影剧本《廊桥悠悠》创作（此为与谢晋导演合作项目）

2004 年　由《根本利益》改编的电影《信天游》上映

2004 年　《永远的红树林》发表，此后获第四届正泰杯全国报告文学奖

2005 年　《李琬若：从中国留学生到美国市长》出版，并被美国翻译出版

2005 年　获国务院授予的“全国劳动模范”称号

2005 年　任《中国作家》杂志主编

2006 年　《男人的美丽男人的梦》出版

2007 年　散文《父亲的体温》入选中学课本及教辅资料

2007 年　《部长与国家》获第四届鲁迅文学奖、第三届徐迟报告文学奖荣誉奖

2008 年　《生命第一——5·12 大地震现场纪实》出版，此后获第二届“中华优秀出版物”奖、第四届徐迟报告文学奖

2008 年　任作家出版社社长

2008 年　荣获“全国新闻出版行业领军人才”称号

2008 年　根据《国家行动》改编的同名电视连续剧在央视播出

2009 年　任中国作家协会党组成员、书记处书记，中国作家出版集团党委书记、管委会主任

2009 年　《国家行动》电视连续剧获中宣部第十一届“五个一工程”奖

2009 年　《我的天堂》出版，获中宣部第十一届“五个一工程”奖

2009 年　《永远的红树林》获新中国六十年优秀中短篇报告文学奖

2009 年	获中华全国总工会“时代领跑者——新中国成立以来最具影响的劳动模范”评选活动提名奖
2010 年	根据《部长与国家》改编的电视连续剧《奠基者》在央视黄金时段播出，此后获中宣部第十二届“五个一工程”奖
2010 年	《忠诚与背叛：告诉你一个真实的红岩》出版，此后获中宣部第十二届“五个一工程”奖、第三届中国出版政府奖，入选“2013 年全国青少年推荐阅读的优秀书目”
2010 年	任中国作家协会副主席至今
2011 年	《国家——2011・中国外交史上的空前行动》出版，后获人民文学奖特等奖，入选“2012 年中国报告文学优秀作品排行榜”、中宣部推荐的党的十八大献礼书目
2012 年	《三牛风波》出版，荣登北京图书大厦畅销书排行榜
2012 年	任中华文学基金会理事长至今
2012 年	当选中国报告文学学会理事长至今
2014 年	《南京大屠杀全纪实》出版，此后获第四届中国出版政府奖、人民文学奖特等奖
2015 年	获亚洲品牌协会“中国文化品牌新领军人物”荣誉
2015 年	《真假之间》发表
2016 年	《爆炸现场》出版，获中国出版集团优秀销售奖，入选“2016 年中国报告文学优秀作品排行榜”
2017 年	《死亡征战》出版，被英国、法国翻译出版
2017 年	《那山，那水》发表

（截至 2017 年 9 月）

目　录

引　言

1978年的中国，注定将要掀开震惊世界的一幕。历史学家因此认为，这一年是当代中国社会真正发生巨变的分水岭。

这一年发生了什么？我们现在似乎记得最多的是党的十一届三中全会，中国共产党人第一次提出了要以经济工作为中心的划时代战略方针。毫无疑问，这次历史性的会议如同一声春雷，预示着中国这头沉睡了无数年的雄狮，将彻底地甩掉束缚自己手脚的锁镣，要呼啸出征了！然而许多人不知，三十多年前那一场影响了中国此后历史走向并改变了今天世界格局的改革开放决策历程，事实上并非一帆风顺。恰恰相反，它充满了惊心动魄的斗争与错综复杂的矛盾，各式各样的动机和灵魂交织在一起的荡涤与交锋，甚至还有来自大洋彼岸的某种推动力……

这一年之前的1977年7月16日至21日，中国共产党召开了党的第十届三中全会。

一个月后的1977年8月，党的十一届全国代表大会召开。会上宣布了两件大事："文化大革命"结束和确定在20世纪内将我国建设成为社会主义现代化强国的奋斗目标。

1977年，我在湖南湘西的中国人民解放军某部当新闻报道员，我与许多这个时期过来的人一样，经历了大悲大喜的1976年，而1977年给我的印象是：祖国大地处处都是"热气腾腾"。这一年留在我们记忆中最深刻的，要数我的那些留在家乡没有出来工作和当兵的同学们，他们都在欣喜若狂地重新拿起书本，攻读"数理化"，积极参加久违了的高考。

“文革”宣布结束了，当时党的最高决策层的情形：邓小平刚刚恢复职务，党的主席和政府总理并不是他。邓小平所主持的工作主要是教育、科技和军队工作。1977年7月至1978年初，邓小平在军队进行整顿和教育，恢复高考及科技界吹起的春风，已使祖国大地到处春意盎然。可在农业和工业战线仍然寒流暗涌——这股寒流是“热高压”下形成的特别气流，它就是当时让一些懂经济的老一代领导人异常吃惊的“十年规划”。涉及工业战线的具体内容是：国家计划新建和续建120个大型项目，其中有十大钢铁基地、九大有色金属基地、八大煤炭基地、十大油气田、三十个大电站、六条铁路新线和五个重点港口。

那时，国家正处百业待兴之时，普通百姓听到如此宏大的规划，无不心潮澎湃！然而党内最会算账的一些领导以及老一代经济学家则吓出了一身冷汗，惊呼这是不可能的“天方夜谭”！来算一算：拿1977年的中国钢产量为例，当时年产为2370万吨。当时国外一家评估中心通过计算认为，中国必须花费400亿美元的外汇方能实现6000万吨的钢铁指标，或者说每年需花50亿美元(加上资金价格上涨因素等)，才可能在十年后完成这一指标。可中国当时的出口额仅为97亿美元，将一半的外汇用于钢铁生产，这对整个国民经济来说，是极其危险的一着，而当时可能增加外汇的只有两条路：农副产品和一部分的石油出口。

这两条路走得通吗？农业方面：安徽小岗村18位农民正在孕育一场空前的农民革命——偷偷按手印分田到户。另一条路便是多采石油。石油这个行业自大庆油田被发现以来，是最让毛泽东和中国人民骄傲与放心的行业——1964年以来，不仅满足了中国自己的工业、人民生活及国防所需油品，而且年年腾出一些产量出口换外汇，支持了国家其他行业建设。石油部老部长余秋里、康世恩功不可没，所以两位都先后进入了国务院任副总理，同时还长期兼任了计委主任和经委主任之重职。

1977 年，中国要成为现代化的强国目标已经确定，然而中国的经济以何种方式前进，成了当时最激烈和最热闹的两种冲撞与交锋，这就是：表面上热气腾腾而实际上危机四伏的“十年规划”与表面上冷峻而实际上在聚集冲刺力量的“调整、改革、整顿、提高”之间的冲撞与交锋。前者显然有过多的“左”的印迹，后者贯彻了“实事求是”的精神。但是，两者之间的哪一个更正确和占上风的问题，统统都在 1978 年得出交锋的结果。

1978 年因此变得特别的惊涛骇浪，惊心动魄！

这种挟带着划时代明显痕迹的风浪，对石油人来说格外惊心动魄和惊涛骇浪。新中国的石油人是余秋里和康世恩带出来的。自从大庆油田发现与开发后，余秋里和康世恩等建立了新中国的石油营盘。

此时的农民革命，尚在边远和落后的安徽小岗村及浙东的台州一带孕育小股旋风，并没有形成暴风骤雨。而作为工业战线的“领头羊”和国家经济生命线的石油工业，已经成为以上两种方针所形成的无法绕开的冲撞与交锋的中心地带。

任何回避都无济于事。中国的经济巨轮欲将起航，石油旗舰必须先行。于是，围绕要不要和如何对待西方石油公司进入中国领海作业的问题，以及由此引发的一系列争论，成为三十年前我国对外开放首当其冲的事件。其过程，曲折而精彩！历史倘若不记载这段光阴，将是对中国改革开放史的严重缺憾。

第一章　国门悄然开启

1978年3月18日，全国科学大会召开。邓小平主持会议并致开幕词，他第一次提出了“科技是第一生产力”的概念，提出了要建设一支宏大的又红又专的科学技术队伍为国家的四个现代化服务的号召，使中国知识界沉浸在欢呼“科学的春天”即将到来的喜庆心情之中。

“‘日出江花红胜火，春来江水绿如蓝。’这是革命的春天，这是人民的春天，这是科学的春天！让我们张开双臂，热烈拥抱这个春天吧！”大文豪郭沫若先生这样欢呼道。

这一年这一月的26日。那天北京的天气还带着几分寒意，然而春天的气息已经悄悄在树枝梢头舒眉展目，那沉睡了一冬的绿芽正顽强地向外伸出鲜嫩的生命和美丽的颜色。

这一天下午3时许，人民大会堂东大厅的华灯齐亮，格外灿烂。

3时30分。中共中央主席、国务院总理华国锋，与中共中央副主席叶剑英元帅并列进入大厅，其他领导人跟在他们身后。

之前几分钟坐等在大厅内的秦文彩与石油部的几位同事，见中央领导入场，连忙起身鼓掌。秦文彩还看到了他比较熟悉的国家计委的顾明、段云副主任和经委的袁宝华主任，国防工办的洪学智将军也来了。如此阵营，说明中国的最高层将要酝酿一件惊天动地的大事。

秦文彩的内心一阵激动，全身暖流顿时涌动。作为一名石油战线的老兵，担任共和国首次出访美国这个资本主义国家的“中国石油公司代表团”副团长兼秘书长的他，此刻意识里闪出一个强烈的意愿：自己将要见证中国即将诞生的一个伟大事件……

要知道，1978 年时在中国人的眼里，美帝国主义代表的仍然是世界上最“可恶的敌人”！红色中国现在竟然与这“可恶的敌人”开始接触并进行某种交流——与其说交流还不如说“交易”。对，交易！与帝国主义做交易，就意味着是对马克思主义、毛泽东思想的背叛！那个时候在一般中国人的眼里和意识中，就是这个样。现在，秦文彩已经迈出了“背叛”的第一步，下一步将如何走，决策权将由中央最高层来掌握。

秦文彩和石油部的人因此把所有希望都寄托在今天这个会上，因为只有出席今天这个会的人，才能最终确定中国下一步与整个西方资本主义世界打交道的方向。

“石油部的同志都到了？”主持人华国锋在询问。

康世恩立即将目光投向秦文彩他们就座的位置，然后回答说：“都到了。”

“好，现在开会吧。”华国锋将头转向左右的叶剑英元帅和李先念，以征求的目光询问两位与他一起决策粉碎“四人帮”的革命元老。

叶帅和先念同志几乎看不到任何表情地点了点头。

“今天的会议主要是有一个重要问题请政治局、国务院同志讨论一下。”华国锋说完这话，便把石油部前几天向中央提交的报告上的相关建议讲了一遍，然后说，“这个问题不涉及主权问题，原则上可以定下来，可以下决心搞。”接着，华国锋把目光投向了石油部的几位负责人，说：“先请石油部的同志谈谈‘中国石油公司代表团’访美的情况，然后我们讨论研究下一步的对策。”

秦文彩和其他几位石油人顿时个个直起身板，振作精神。他们心里都明白：今天，他们说是来汇报访美情况，倒不如说是代表百万中国石油人来接受党和国家领导人新的战斗号令！这一刻，秦文彩的目光不由自主地瞟了一眼坐在身边的刚刚在全国五届人大会议上新任命的部长宋振明……他们是老战友了，都是1952年响应毛泽东号召全体转业到石油战线的人民解放军第57师的“石油师”人。宋振明部长比秦文彩小一岁，集体转业时秦文彩是57师政治部保卫科长，宋振明是三团代政委。

秦文彩的目光继续移动——宋部长的旁边是石油部常务副部长孙敬文，他的资历比秦文彩和宋振明都要老，人家是老红军出身。再往前移，坐在孙敬文身边的是李人俊，同样是位“老石油”，20世纪50年代的石油部副部长、现任国家计委副主任。石油部这天参加会议的还有闵豫、李天相，两位都是发现大庆等油田的重要功臣，他们与秦文彩一样，此次会议后不久，都当了石油部副部长。

为了参加此次汇报会，石油部的同志做了充分准备。一个月前，身为访美的“中国石油公司代表团”副团长兼秘书长的秦文彩最先做具体工作。汇报的第一稿是他在原北京石油学院南楼里完成的，后来他把李天相找来一起修改。“你是大学生，我在部队和玉门油田扫盲班喝的那点墨水，怕完不成中央交代的任务，你帮个忙吧！”秦文彩对老同事、好友李天相说。李天相接过汇报初稿看完便称：“已经很好了嘛！”再“很好”也得认真啊，石油部上上下下都知道，此时向中央领导同志的汇报，涉及中国石油工业的发展方向，乃至今后整个中国工业发展的一些重大问题，所以从一开始就受到了康世恩的直接指示与领导。最后拍板定稿的仍然是康世恩。

这一天，石油部人从走进人民大会堂的那一刻起，就感到特别的神圣和激动，只是他们内心仍有一点点遗憾——

“邓小平同志怎么没来？”有人在秦文彩耳边轻语。

“他在那边主持科学大会，忙不过来。”有人同样用耳语这样回答。

“开始吧。”华国锋在开场白后，专门做了说明，说关于石油代表团访美的报告提前已经送各位中央负责人了，大家已经都看过，今天主要是听取石油部的同志正式汇报，并就对外合作的一些重要问题进行研究讨论，然后他的目光再次投向石油部的人。

“敬文同志……”石油部部长宋振明赶紧向孙敬文使了一下眼色。

“好，现在我代表石油部和李人俊同志，向中央和国务院就‘中国石油公司代表团’访美情况作如下汇报。”个子高挑、脸庞瘦削的孙敬文开始念着预先准备好的汇报稿：

“经国务院批准，我们石油代表团19人，应美国能源部长施莱辛格的邀请，以石油公司的名义，到美国考察了25天。从今年1月5日到31日，在美看了9个油气田，4个科研单位，3个油厂，2家工程设计承包公司，10个制造厂和4条钻井船。回国途中，顺便在日本考察了12天，看了造船厂、施工机械制造厂和炼油化工厂。这次考察中，我们遵照华主席关于创建十来个‘大庆油田’的指示，本着‘洋为中用’的方针，对美国油气田的勘探开发技术进行了比较广泛的了解，着重研究从美国可以借鉴些什么，才能够有利于加快我国石油工业的发展。现将看到的一些情况报告如下：一是美国石油工业有120年的历史。在陆地和海上共钻了246万口井……”

“我们中国钻了多少口井？”华国锋突然打断孙敬文的汇报问道。

“4万多口。”孙敬文脱稿回答。

华国锋问：“从什么时候算起呢？”

康世恩回答：“应该是从1952年和1953年算起。之前，旧中国时也有一些油井，如延长油田和玉门油田的早期开发，但勘探量都比较少。我们现在说的4万多口油井，指的都是我们自己打的井。”

“美国去年生产原油4.6亿吨，还生产了天然气5500亿立方米。现有50多万口井，平均每口井日产原油两吨半……”秦文彩注意到康世恩事先向他布置的任务——随时准备为孙敬文同志作补充，看来确实太重要了。汇报刚刚开始，中央领导不时打断孙敬文，非常随意地插问。

李先念说：“他们美国人现在走下坡路了，单井日产才两吨半。”

孙敬文说：“他们算的账是一口井一天产3桶油也是有利可图的。”

这时，李先念抬起右手，指了指石油部秦文彩他们一排人，说：“现在我们石油部的人，对一口井日产30吨到50吨都不高兴，一要就是3000吨！”

康世恩连忙自谦地接过话：“美国人这些年在找大油田的同时，也从来不放过中小油田。”

李先念的话音高了一个分贝：“他们的做法是出油就要，我对这条感兴趣！”

耿飚立即接过话：“这条非常对。”

康世恩说：“我们要在这方面加强战略调整……”

石油部的人都将脖子竖得直直的。这时的秦文彩更是越发紧张和兴奋，紧张的是汇报会正如康世恩所说的“领导们随时会提出各种各样的问题”，必须“准确、及时地回答出来”；兴奋的是整个汇报会开得气氛非常热烈——哪个中央领导都会对自己感兴趣的问题随时插话和提出疑问。

但秦文彩发现，作为事先准备充当孙敬文“预备队员”的他，其实没有多少事，因为所有中央领导提出的问题，康世恩副总理基本上都代劳了。

秦文彩再次暗暗敬佩康世恩。

第一次认识康世恩这位新中国石油事业的主要组织者和领导者是什么时候？秦文彩的脑子开起了“小差”……噢，对了，应该是1956年或1957年？不不，应当从1952年，1952年的“八一”那天算起吧！是，秦文彩心里点头道：应该是从这一天起他就“认识”了康世恩——虽然在那天由师长张复振主持阅兵仪式、师政委张文彬宣读成立“石油师”的全师大会上，他秦文彩没有看到康世恩的身影，但正是这个搞石油的康世恩，从此彻底地改变了57师全体官兵和他秦文彩的命运——

为了完成年产350万吨天然石油的伟大计划，在5年内需要增加老的党员干部（自区委级至部委级）300余人作为领导骨干，其次需要技术干部2250人，管理干部640人，技术工人8500人，普通工人4000人，共需增加职工约15690人，这样大批的干部和工人的来源，在西北是有很大困难的……至于技术工人的培养和老党员干部的来源，我们拟请军委在整编部队时，一次拨给一个建制师，加以训练改编为工业建设大军，战士可以培养为技术工人，部队干部可作为领导骨干。这样可基本上解决问题，使石油工业能较迅速顺利地发展起来……

这是时任燃料工业部西北石油管理局局长的康世恩于1952年3月25日给朱德总司令写的一封信。这封信的内容秦文彩几乎可以一字不漏地背出来。同样他还能一字不漏地背出下面这份由中央军委主席毛泽东在同一年中签发的命令——

我批准中国人民解放军第19军57师转为中国人民解放军石油工程第一师的改编计划，将光荣的祖国经济建设任务赋予你们。

秦文彩内心深感庆幸，他庆幸因为这个康世恩，所以他日后才有机会能够成为一名新中国的石油人，而且正是因为当了石油人，秦文彩的一生中才有了那么多出彩之处——

参加新中国第一个开发建设的玉门油田，从一名部队保卫科长，成长为能够带领石油勘探队伍的专业管理干部和钻井专家。这得感谢最初手把手教他的两位工程师彭佐猷和蒋麟湘，是他们使他成为当时玉门油田上出了名的“处长学生”。秦文彩的光荣历史从此被记录在新中国的石油史上：1953年，他蹲点时的所在钻井队在石油沟27井上创造了日进尺138.43米的全国纪录。1955年，秦文彩因为一篇总结钻探管理的文章，引起了陈云同志的关注，专门将秦文彩叫到西安人民大厦与他“切磋”经济管理问题；几乎在同一时间段里，秦文彩摸索和总结出的“支部建在钻井队上”的经验，更是引起了一位新到任的石油部长的重视并使这一经验推广到全石油系统，成为几十年来新中国石油能够取得巨大成就的法宝之一……

……

“照你们的说法，科研人员的数量是问题，我看质量也是个问题。”这是李先念的问话。

“是的，我们的地质研究分成三部分：石化部、地质总局、科学院。大家对具体油田有兴趣，对基础工作却不太注意。向中央建议：开个会，分个工。”这是李人俊在回答。

“地质总局主要做战略侦察，石油部搞开发，这样分工可以好一点。”康世恩说话了。

“石油部光搞开发不行，还要搞勘探！”突然，一个异常洪亮和熟悉的声音，一下将秦文彩的思绪拉回到了人民大会堂——他不由得抬头，目光正好与这个说话的人的目光撞在了一起：对，是余部长，余秋里部长说话了！

“余部长的这个意见很重要！”坐在一旁记录的李天相用胳膊轻轻捅了一下老伙计秦文彩，嘴里嘀咕着。

秦文彩附和地点点头，说：“这是对的，石油部一定要有自己的勘探。”他的耳朵竖得直直的，想听清其他中央领导对此是怎么看的——

“石油的勘探是基础工作，没有基础就没有储备，单打一不行。”方毅说。

“单纯的应用科学我看是带有很大的盲目性！”李先念一语定调。在今天的会上，这位主管经济的副主席几乎是整个汇报会的主要发问者和插话者。

“我同意秋里同志的意见，石油部也应该有自己的勘探工作。”李副主席的话则很有针对性。康世恩把目光投向石油部宋振明等人，指示道：“你们要把这一条牢记住。”

听到这儿，秦文彩不由自主地将敬佩的目光投向老部长余秋里，也许是巧合或是自己的眼神问题，秦文彩发现，他的老部长余秋里也在不时地看着他，就像二十年前第一次与他面对面谈话时的目光，严肃而亲切。

是有二十年了！那是1958年嘛！秦文彩的思绪再次走神儿——看到老部长、看到因“文革”多年不见的老部长时，他秦文彩无法不去回忆那个难忘的火红年代——是的，那一年我是以玉门油田管理局副局长的身份，带领队伍奉命到四川中部打井找油的……

在新中国石油史上留下重要印迹的“川中会战”，秦文彩是主角之一，这也是余秋里当石油部部长后指挥的第一仗。川中这一仗对当时的秦文彩和新任石油部部长的余秋里都是十分重要的一仗。秦文彩虽然并不知道那会儿他的部长余秋里为什么那么急着要逮地下的“大敌人”，甚至为了逮住这个“大敌人”他秦文彩竟然与部长差点儿较上劲。不过正是这次较劲，才在中国石油史上有了“独臂将军向部下敬礼致歉”的佳话。

事情是这样的：1958年初，正当新任部长余秋里从毛泽东那儿领了“找到油”的军令状后不久，川中的找油队伍连续向北京传来喜讯：

3月10日，川中的龙女寺2号井出油，日喷自流油60多吨。

3月12日，南充3号井又传高产井，日喷油300吨。

3月16日，蓬莱1号井又喷油，日产原油100多吨。

三口井都是高产井，这在当时的中国简直是天大的喜讯，绝不亚于今天的中国人看到“嫦娥一号”的奔月。川中沸腾了，石油部沸腾了，中南海也沉浸在一片欢欣鼓舞之中。

3月27日，正在成都主持中央工作会议的毛泽东，在事先没有打招呼的情况下，突然兴冲冲地赶到四川隆昌的气矿上视察，并且欣然题词：“四川大有希望！”

四川有油！四川大有希望！四川一时成了新中国正在酝酿中的一场社会主义建设高潮——“大跃进”的瞩目点。

“主席都走到我们前面去了！”京城里的新任石油部部长余秋里坐不住了，连夜飞往四川，与副部长康世恩一起赶到川中的3个喷油井现场。

“来来来，抽烟抽烟！”每到一个井台，余秋里便把头上的草帽往旁边一扔，不管脏不脏，一屁股坐在工人的床铺上，毫不见外地盘起双腿，掏出口袋里的“中华烟”，满屋子散……

“这就是部长啊？”工人们用油乎乎的手一边吸着难得见到的“大中华”，一边窃窃私语。

“啥部长不部长的，到你们这儿，我就是小学生，你们可得给我好好讲讲这儿的油是怎么打出来的。讲好了，我再给你们抽‘中华烟’，另外还有肥肉吃！”余秋里一番毫不掩饰的实在话，说得石油工人和技术员们心里热乎乎的。

这一天秦文彩被余秋里约到南充地委的招待所一间较为豪华的房间，所谓豪华也就是房间里摆了一对褪了色的沙发而已。

“来，坐坐。我们就坐在地板上，这软乎乎的沙发坐着就不得劲！”这是秦文彩第一次与部长余秋里面对面地单独在一起。不想这位中将军衔的部长竟然脱去鞋子，蹲下身子，双腿一盘，席地坐在光滑的地板上，并且让自己的属下跟着自己的样儿一起坐下。

这一刻，秦文彩终生难忘。

“你的情况我知道。山西人，15 岁就是小八路了。当过宣传干部，当过指导员，后来又当保卫干事。石油师成立前是师里的保卫科长。后来到了玉门油田，干得相当不错，老康和焦力人对你都印象不错，夸你爱学善学，勘探生产有一套。今天我拜你为师，好好给我讲讲如何管理我们的钻井队。我之所以提出这一问题，这个你比我清楚：我们石油队伍是以钻探为主的生产单位，这一个钻井队，就像一个作战的连队，连队好了，有了战斗力，整个战役就有了胜利的希望。所以我特别想听听你对勘探队伍的看法……”余秋里瞅着比自己小十来岁的秦文彩，一脸亲切和真诚。

秦文彩一下子没了拘束感，于是他把多年来在玉门抓勘探队伍的体会和所观察到的感受，一股脑地倒给自己的部长。秦文彩特别讲到了钻井队上要配备指导员的建议：这一个钻井队上，有队长，有勘探钻井的技术员，还有管资料的地质技术员，3 个人常常出现矛盾。队长是管生产任务的，他最关心的是进尺；钻井技术员管质量，他关心的是不能在钻井中出现事故和问题；地质技术员呢，他关心的是取岩芯。所以，一个井台上，这3个人谁听谁的？因为三权鼎立，常常吵得不可开交。

“以你的经验怎么解决这事呢？”余秋里的眼睛紧盯着秦文彩，嘴里嘀咕道，“这事处理不好，队伍可就问题大了！”显然新部长对此十分关心。

“我的意见是，应该像我们军队一样，把支部建在连上。每个钻井队配一个指导员，他的任务是协调这3个人的工作……”秦文彩说。

余秋里的眼睛一亮，紧接着问：“你们在玉门有过实践经验吗？”

“我们推广过，效果很好。”

“好。你秦文彩这个经验，可以马上推广嘛！”余秋里“噌”地从地板上跳起来，兴奋地用右手拍了拍秦文彩的肩膀，说：“谢谢你给我上了一课！”

即日，石油部南充现场会议上，余秋里以一位成熟的军事政治家的真知灼见，首次正式提出了石油队伍建设的一个开创性思路，这就是一直沿用到现在的“支部建在队上”的“指导员制度”。

“我们找油，是以井队为生产单位，所以一切工作在于井队，一切跃进在于井队，各个工作区做得好不好，也都集中反映在井队。所以，加强井队建设，是我们石油勘探能否取得成功和部、局工作的意图能否获得顺利执行的关键。毛主席早就说过，红军之所以艰苦而不溃散，支部建在连上是一个很重要的因素。我们的井队当然还有地质调查队，也应该把党支部建设好，每个井台都得有政治指导员，这是完全必要的，也是完全正确的！”独臂将军挥动着那只有力的右臂，激情慷慨地说着上面这段话的情景，一直深刻地印记在秦文彩的脑海中。

五十年后的2008年初，笔者在北京东二环的那座崭新的“中海油”大楼里，听80多岁高龄的秦文彩谈起此事时，这位为中国石油事业做出过杰出贡献的“老石油”人感慨万千地说，中国的石油事业能够发展到今天这样强大，跨入“世界石油大国”之列，这与余秋里同志当年非常敏感和正确地把“支部建在队上”的这一决策，及时在全国石油队伍中普及开来，有着十分重要的关系。石油队伍就像我们的军队一样，不管是勘探工作还是地质调查，基层的作用和基层的队伍，是整个工作的关键和落脚点。支部建在队上，使石油队伍始终保持了听党指挥，始终保持了革命的干劲和正确前进方向。所以，中国的石油队伍一直到今天，仍然是行业队伍中最能拉得出去、也最能打胜仗的一支钢铁队伍。

然而秦文彩与余秋里部长的交手并不全是愉快的。“支部建在队上”之后，余秋里好像再也没有向他秦文彩微笑过，总是严肃有余，甚至搞不好还会劈头盖脸地骂骂咧咧——这是独臂将军的作风，对自己熟悉的部下管得异常严格。凡是在余秋里手下干过的石油人都能背得出他余秋里一口气说出的一大串“严”字：领导严，大家也严。严，就可以出责任心；严，就可以出战斗力；严，就可以出风气；严，就可以使自由主义、个人主义没有市场；严，就可以把歪风邪气打倒；严，就可以避免错误；严，就可以保证思想上、政治上一致；严，还可以保证团结。不单是生产工艺上要严，政治思想上也要严，按党的原则办事，按标准办事，按工艺办事。“严，不一定要瞪眼睛、竖眉毛——当然我知道自己脾气大，瞪眼睛、竖眉毛的事经常发生，但其实呢，主要是对问题的不马虎，对原则的不让步。这里包含了耐心说服教育与严格要求相结合，包含了经常地、不断地实践教育和思想教育……”余秋里的这一“严哲学”，带出了一支钢铁的中国石油队伍，所以石油人对余秋里的“严哲学”不仅不反感，反倒几十年来一直奉为工作的法宝。

秦文彩说自己甚至有些崇拜余秋里。为这，他还差点被划为

“永世不得翻身”的右倾机会主义者。

川中的三口井出现高产油后，余秋里和石油部上上下下兴高采烈，喜讯报到毛泽东和中南海那里，朱德、邓小平等四川老乡更不用说有多兴奋了。“我们的祖先在四川都打出了自流井，利用天然气，我们难道不如老祖宗？”朱德到四川石油工地视察，见了秦文彩他们，不无激动地说道。朱德说的是三国时代诸葛亮用竹管将自喷气井中的天然气输到几十里外的盐场，当作采盐动力的历史。

两个月后，时任中共中央委员的共青团第一书记胡耀邦也来到南充市，在听取秦文彩的汇报后，激情澎湃地道：“川中油区是有成绩的，有前途的。希望你们大有作为！”

那是个什么年代？那是个激情燃烧的年代！在“多快好省地建设社会主义”总路线的影响下，全国上下一片热血沸腾的年代！川中连续冒出高产油井，谁不欢欣鼓舞？毛泽东欢欣鼓舞，朱德等四川人欢欣鼓舞，全国人民欢欣鼓舞。肩负毛泽东交付重任的新石油部部长余秋里更是热血沸腾、跃跃欲试。可就是这时，川中那几口高产油井突然再也不见冒油，甚至最后成了枯井。石油部党委统一布置的第一个石油大会战打的20口关键井，也一一泡汤了。秦文彩和地质师李德生两位年轻人向余秋里和石油部领导提出了自己的不同看法，他们认为川中地质复杂，找油前景不乐观，甚至建议在当前没有能力对地下情况进行详尽勘探的条件下，停止大会战。

“尤其是一些单位的党委书记，不懂业务，却在现场瞎指挥……”秦文彩的话传到了余秋里耳朵里。这位急于想拿下川中这个“大家伙”的“独臂将军”愤怒了，拳头把桌子敲得咚咚直响：这是严重的右倾机会主义！

“瞧秦文彩、李德生他们能耐得！彻头彻尾的大右派！”有人总算等到了机会，于是趁机欲将“右派”的帽子扣在秦文彩头上，以此在领导面前捞点政治资本。令这些人没有想到的是，余秋里一直是个特别讲求实事求是的人。当川中会战不再有希望时，他断然做出决定：将近万人的队伍全部撤回原单位，会战停止！

“主席，川中的情况不好，我们碰到了‘遭遇战’，我没有完成好主席交给的任务……”上海锦江饭店的走廊里，余秋里低着头，向毛泽东检讨。

毛泽东轻描淡写地对爱将说：“一次‘遭遇战’的失败算不了什么，中国那么大地方，东方不亮西方亮嘛！”

“是，主席！”“独臂将军”回到石油部，在北京华侨饭店召开的石油工作会议上，他当着全国石油系统的矿长、局长的面，直挺挺地站起来，对台下的秦文彩说：“过去批评你批评错了！”然后抬起右臂，向秦文彩行了一个庄严的军礼。

这一幕让秦文彩记了一辈子，任何时候都忘不了。秦文彩自然知道，另一位在川中问题上与他持同样态度的李德生，同样得到了余秋里的正式道歉，并很快被一纸调令调到石油部勘探司任总地质师。李德生后来在大庆油田、胜利油田等诸多大油田的发现中建立了卓著功勋。

西山的一缕晚霞，映照在人民大会堂的玻璃窗上。东大厅的会场上，汇报会仍在进行。中央领导们继续不时地插着话。而在插话的当口，也有个别领导相互间在悄声私语……

“石油公司？我们有石油公司吗？”老将军王震与身边的余秋里嘀咕着。“老首长，是这样的……”余秋里赶紧侧头，向王震悄声解释，“去年 8 月，美国的能源部长施莱辛格先生有一天约见我们驻美国的联络处主任韩叙同志。他在白宫对韩叙说，卡特总统希望我们中国政府派一个石油代表团考察美国石油工业，他们很愿意与我们石油行业合作，帮助我们一起发展石油工业。”

“美国佬又想玩什么把戏？”老将军王震的眼睛瞪得溜圆，眼光左右扫着，像在寻找答案。

“美国人有他的战略考虑。他们害怕苏联在中东的势力不断扩大，所以希望我们也能多整出点石油来，以平衡世界的石油供应，从而达到全球战略的平衡。”挨着王震另一边的聂荣臻元帅说了一句。

“我说嘛，他美国佬咋对我们中国发起善心来呢？”王震耸耸瘦削的肩膀，重新把耳朵侧向另一边的余秋里：“你再跟我说说清楚……”

“是这样——后来康世恩同志他们的石油化工部进行了慎重研究，认为美国的石油工业历史悠久，尤其是他们的海洋石油技术比较先进，正好我们正在部署海洋石油工作，所以赴美考察石油工业，对发展和提高我们的石油工业是非常有利的。这事就定了下来。我也完全同意康副总理他们的意见。后来这个报告送到了国务院，因为中美两国之间还没有建交，所以我们的代表团只能以中华人民共和国石油公司的民间身份出国考察，这个报告是得到中共中央副主席、国务院副总理小平同志批准的，先念副主席还特别做了重要指示，要求派懂业务的同志去，学回真东西……”余秋里轻声地娓娓道来。

老将军似乎明白了，下意识地将目光移向坐在另一侧的康世恩。

康世恩朝他点点头。于是老将军不再说什么了，竖起耳朵听孙敬文继续汇报……

“美国能源部这次邀请我们访问，是出于卡特政府需要。从我们和各方面接触来看，美国政府和企业界对石油问题非常关切，对我国搞十来个‘大庆油田’很注意。他们从争夺霸权的需要和稳定国际石油价格的角度出发，企图利用我们石油的发展和出口，同苏联相抗衡；同时通过做买卖，从中取得经济实惠。因此，美国政府和政界人士对我们这次访问是重视的，一些头面人物出面接待，表示友好……”秦文彩注意到，与会中央领导对孙敬文的这段汇报格外注意，一个个全神贯注地思考着每一个细节，尤其是卡特政府的高层领导对“中国石油公司代表团”访美时接待的每一个细微之处。

有什么漏掉的？秦文彩也在认真地听着孙敬文副部长的汇报，尽管这个报告多数内容是出自他秦文彩和李天相的手，但他还是生怕仍有什么内容可能会引起中央领导的关注……

我们“中国石油公司代表团”是怎么去美国访问的？还有什么在汇报稿中没有提到的？秦文彩的脑子迅速地开动起来，回忆起两个月前的那次难忘的经历——

大约是半年前的1977年10月，部里有人告诉秦文彩：“中央要求石油部组织一个代表团访问美国，已经决定你老秦也要去。”

“到美国去？哎呀，我们还没有跟他们建交，怎么去？”这消息让秦文彩既兴奋又吃惊。

“听说是以中国石油公司的名义去，这样就是民间性质的了，可以避开一些麻烦。”

原来如此。刚从石油部开发大组长转为生产总调度的秦文彩对中央的这种灵活的“外交举措”很敬佩。

“什么？你们要到美国去？这是谁批准的呀？”还是在三四个月前，当秦文彩把出访美国的事跟身边的一些同事说开后，不少人感到惊诧，叽叽喳喳个不停：“老秦啊，小心掉进了美帝国主义者设计的圈套！”

“怎么可能呢？是小平和李先念同志亲自批准的啊！”秦文彩理直气壮地说。

“邓小平？他呀，又要搞不管白猫黑猫，抓住老鼠就是好猫了。”

“你说什么呢？‘四人帮’把中国搞成这个样，不赶紧把经济搞上去，你我带着家里人都喝西北风？”秦文彩生气了，板着脸责问那些说着风凉话的人。

“老秦你别发火嘛！我们也是随便说说，只是提醒你，毛主席在世的时候，一直教导我们：帝国主义和修正主义者总是想和平演变中国。你们到美国可要当心哟！”

“这还像一句咱中国石油人说的话。”秦文彩的脸色缓和了许多。

“老秦，你回国时别忘了给我带把那种折叠的小遮阳伞，我女儿也不知在啥地方看到了这种伞，整天嚷嚷让我给她弄一把。”一位老同事对秦文彩说。

秦文彩哭笑不得，道：“我是出去看人家怎么找石油的，你让我给弄那玩意儿？丢不丢人呢？”

“看你——那你给我带个‘三大件’回来！”

“啥‘三大件’？”秦文彩第一次听说。

“电视、冰箱、洗衣机。”

“我们用得着吗？”秦文彩觉得有些不可思议——那时许多中国人认为自己能够用上这“三大件”是件不可思议的事。

“哈哈哈，跟你开个玩笑罢了。祝你美国之行成功！”老同事们看秦文彩那么认真，也就一笑了之了。

那个时候，中国人穷得可怜，连女孩想头上戴个发卡都买不到。羡慕出国和向往能够拥有“三大件”就像今天农民工向往有个城市户口一样难。在康世恩上任副总理兼经委主任不几日时，曾经有位妇女因为在市场上买不到发卡，还专门写信给他，康世恩为此特意动员了几个部门才解决了这位妇女提出的问题。可想而知中国当时的市场情况是个什么样！

一切刚从寒冬过来。天空刚现一缕暖意……

中国石油公司代表团要访美，这是新中国成立后中国石油系统破天荒的事，所以中央格外重视，当时正值四届人大召开前后，派谁出去？谁做领队的团长？秦文彩作为代表团的秘书长，对情况是十分了解的。虽然中国与美国在1972年双方签署了“上海公报”，但两国还没有建立外交关系，更何况此次美国政府邀请中国石油公司代表团访美，看起来“很主动”“很业务”，而这背后到底是什么意图？阳谋后面的阴谋又是什么呢？

“孙敬文同志是老石油，处事比较稳重冷静，而且能处理一些复杂关系，他当团长较妥。”康世恩同志向余秋里建议团长人选时，挑定了孙敬文。

“敬文同志我了解，红军老战士，在石油战线又是有名的蹲点调查专家。1962年我们在抚顺建石化一厂时，敬文同志在那里蹲点抓作风，还抓出了些名堂，工人们还为他编了首小诗：为人正派孙敬文，扎实肯干带作风……还有两句怎么说的？”余秋里敲着脑袋问康世恩。

康世恩笑着接上后两句：“严于律己树新风，关心职工似春风。”

“对对，这回让敬文率领代表团访美，就是要让他这中国的‘风’，去感受一下西方的‘风’……”余秋里的右臂在半空中有力地一挥，像在指挥当年大庆石油会战的千军万马。康世恩看着老战友精神依旧的豪情，心头异常欣慰。“那我就去通知敬文他们了。”他说。

1977年11月，来自石油部和大庆、辽河、华北、胜利、长庆、新疆、玉门、江汉、四川油田及海洋石油系统的17名代表团成员汇集北京民族饭店，进行了为期一个月的学习培训。那个时候出国成员一般都要进行相当长时间的学习培训，主要是纪律教育。当然秦文彩他们的这次出访美国，与其他出国代表团还不一样，石油看起来是工业产品，石油代表团看起来也仅是个经济业务代表团，然而美国人“热情有加”的真实意图与我们政府派代表团的目的是很不一样的，甚至有些针锋相对。于是中央格外重视“中国石油公司代表团”的全部活动，甚至包括代表团的衣食住行。

时至12月下旬，一切准备齐全。秦文彩约了秦峰、李敬、姬永兴、邓礼让和姚福林等代表团中的几位在1952年一起转业到石油战线的“石油师”老战友，想出国前撮一顿“东来顺”的涮羊肉。谁知涮羊肉也吃了，定做的中山装也试穿了几回，上面却突然通知说出访时间推迟了，要到元旦后的1978年1月5日才出发。

“美国人要过圣诞节，现在去了没人管我们！”上面来话说明的理由就这个。

“什么叫圣诞节？”老石油师的几位“老土”问秦文彩。

秦文彩说：“我也是刚刚从一本书上看到的，圣诞节就是西方洋人们过的‘春节’。”

“哈哈，洋人们也过春节呀！这倒可以理解，可以理解！”大伙这才没闹起来。

第二章 墨西哥湾的海风

转眼就是1978年1月了。

5日，下午3时40分，华盛顿杜勒斯机场。TWA891航班徐徐降落……以孙敬文为团长的中国石油公司代表团抵达美国。中国驻美联络处主任韩叙、美国能源部官员柏尔格德和美中贸易促进会及华侨代表数十人到机场迎接。简单仪式后，代表团乘车到了绍汉姆酒店。

“一路辛苦了！晚上我给大家安排了一个中餐馆，你们看怎么样？”韩叙同志热情地询问大家。

孙敬文说：“韩主任，我们听你的。出国前，外交部的同志说得很清楚，到了美国，该见什么人，该说什么话，衣食住行，都听你们联络处的安排。”

“我们乘的是外国航空公司的飞机，一路上尽是面包、三明治什么的，吃得直反胃……现在就想吃碗咸菜、小米粥。”有人说道。

秘书长秦文彩也乐了，说：“好啊，要这样下去，我们这次出国就可以省下不少伙食费了！”

“省一点是一点，我闺女还要让我带什么‘三大件’回去……秘书长，我建议：以后尽量多安排些喝粥的晚餐。”有人公开建议。

“哈哈哈……真是穷疯啦！”一个玩笑，使踏上美国的那份紧张气氛顿时烟消云散。

“你们都听着啊，咱石油代表团代表的是中国，我们时时处处要给中国人长脸。就是吃饭，我们也不能显出穷酸相，该吃白米饭、吃红烧肉的，照吃不误！在外国人尤其是在美国人面前，绝不能太小气！”孙敬文发话了，他的话不说倒还好，一说更惹来哄堂大笑。

“这到美国来还整天吃白米饭、红烧肉，人家可真要把咱们当贫民窟出来的穷鬼啦！”

“是吗？”孙敬文有些莫名其妙了，便悄声问韩叙：“哎哎，你说富一点的美国人平时他们都吃什么呀？”

韩叙想了想，说：“也没有什么好的，就是牛排、奶酪、汉堡包。”

“哎哟，千万别再跟我提那奶酪、汉堡包了！我一闻就想吐……”个子瘦高的孙敬文做了一个弯腰疼痛状，可怜又好笑。

“那孙部长您可就要受苦了，这儿除了汉堡包、奶酪，就是奶酪、汉堡包。”韩叙说。

这回轮到孙敬文露出了笑容，只见他胸有成竹地踢了踢脚跟前的一只纸箱，说：“里面尽是麦乳精，够我吃一阵子的。”

韩叙苦笑着摇摇头，心里说：也就是我们中国人有能耐。

6日，上午9时左右，代表团便来到了M街2000号的美国能源部大楼。二楼会议大厅内，代表团听取了美国石油专家所做的关于美国石油工业发展现状的情况介绍。交流会一直开到下午4时，美国人的工作作风给代表团留下深刻印象：虽然是中美专家间的第一次接触，可人家似乎不太注意外交礼节，比如午餐也是在会议厅里，既随便，又不影响交流。

“美国人为啥对与我们合作开发石油那么热情？言必两国合作开发石油如何如何有前景，如何如何看好呀？”

“我看这美帝国主义者是不是又有什么阴谋和圈套在里面？”

“不会吧！人家是真心真意想跟我们合作嘛！”

代表团成员对美国官员热情有余的态度，感到有些意外。孙敬文、李人俊和秦文彩等交换意见后认为，应该说美国在石油领域想与我们中国合作的态度是积极的，不管出于什么样的目的，这个信息应该及时报告国内高层。

晚6时，能源部在白宫设宴款待中国石油公司代表团。施莱辛格部长因临时出差，所以宴会由副部长奥莱利主持。美国主人很注意细节，在白宫的宴会大厅里，特意选用了唐代仕女图和古代山水风景画作屏风，这让远涉重洋而来的中国代表团有了种宾至如归的感受。

宴会上，奥莱利副部长致欢迎词，再次强调和表达了美中石油合作的愿望。孙敬文团长则以国内早已准备好的“口径”客气而带有几分暧昧地说了些官话——那个时候出国人员到国外后说什么话、不说什么话，在临出国前都已“训练”好了。这是所有出国官员必须遵守的纪律之一。

“我们中国自我封闭和被人封锁了许多年，过去一直又强调自力更生，所以对外面的世界确实知道得很少。到美国后，发现‘帝国主义分子’那么热情，甚至看上去非常友好地要跟我们进行石油工业上的合作，确实有些意外，而且他们的热情和热度，让我们内心一直绷得很紧的那根弦绷得更紧了：是不是‘帝国主义分子’又有什么阴谋？是不是他们又想在中国搞什么名堂啊？其实，现在回头再看那段历史，我们才明白，美国人当时确实有诚意想跟我们合作，其目的当然有它谋求称霸世界的帝国主义意图，也有它想拉拢中国，并通过发展中国来实现抗衡、遏制苏联的战略目的……而我们在改革开放总设计师邓小平的领导下，正确地利用了美国的这一战略意图，为我国石油工业的发展创造了一个难得的机遇。”三十年后的秦文彩，在回首当年那段历史时，一针见血地道出了美国人的本意。

进入20世纪的最后三十年，世界各国相互之间的依赖性越来越强，那些谋求霸权的国家，也感觉到依靠自己一个国家的能力常常会力不从心。而从20世纪60年代开始的帝国主义阵营和社会主义阵营的斗争，也变得更加错综复杂。敌中有我，我中有敌，是当时世界局势的基本格局。第一次中东战争后，以美国为代表的西方势力明显感到了来自苏联的压力——担心苏联一旦插足中东，并控制了石油资源，不仅美国想称霸世界的意图彻底落空，而且连美国本土的经济与国民的安全都将受到前所未有的严重威胁。如何阻止苏联的强大，达到遏制“北极熊”的目的？美国人绞尽脑汁，最后还是想到了打“中国牌”——虽然中国曾经让美国人在朝鲜战争上丢尽了脸面，但在现存的政治和国际关系中从来没有永远的敌人和永远的朋友。

20世纪是石油的世纪，石油是这个世纪国际关系中头等重要的武器。第二次世界大战后，世界进入了冷战时代。石油则在这个冷战时代扮演了热兵器的角色。美国本土的石油资源并不少，而且又是现代石油工业的发源地，是勘探石油和石油科技力量实力雄厚的国家。但帝国主义的本性决定了它对外扩张的野心。控制世界主要石油资源地，是它重要的全球战略，尤其是控制中东石油资源更是重中之重。美国从二战一结束，就花费了大量心血在中东培养自己的“把兄弟”，包括伊朗这样的伊斯兰国家。可是第一次中东战争的结果，令美国人感到了前所未有的担忧——苏联人对中东的渗入，一下改变了美国独霸阿拉伯地区的格局，而且随着苏联对阿富汗的出兵、与伊拉克的结盟，甚至连伊朗这样曾经依靠美国的美元武装起来的伊斯兰国家，竟然也开始要与美国人分道扬镳了。在如此背景下，美国这位“山姆大叔”真正感到了担忧。

“红色中国，可以成为我们与苏联较量时的一位暂时的朋友。”尼克松总统在1964年就说过这样的话。于是他上台后，有了不少亲善中国的动作：结束越南战争，1972年公开访问北京，向毛泽东伸出热乎乎的双手。

尼克松下台后，里根总统向北京派出的第一位美国驻华联络处主任就是布什——后来的美国总统。美国政府的这一任命，意味深长，只是当时的中国人并不清楚而已。

身材瘦削的布什，过去中国人对他不了解，其实这位乔治·布什是个石油实业家，他的政治资本来自他对石油业的成功开发——美国20世纪的政治史，本身就是一部石油发展史。约翰·D.洛克菲勒创立的美孚石油帝国，正是推动20世纪美国走向经济强国、实现称霸世界的原动力。秦文彩自然不知道，在他1958年成为中国第一个油田——玉门油田的副局长时，在得克萨斯州，已经有了一家名叫“匝帕塔”的石油公司。当时这家公司在美国众多大牌石油公司中，实在算不了什么。但“匝帕塔”公司的总裁却是个非同寻常的人，他整天活跃在得克萨斯和纽约华尔街之间，进行着一桩又一桩的石油开发买卖与投资，并且很快成为美国石油帝国中一位重要人物，同时也在政界积蓄着力量。这个人不是别人，正是乔治·布什，美国第41任总统。

“欢迎各位来自中国的朋友到我家里做客！”8日晚，中国石油公司代表团到达美国著名的石油城休斯敦，已经离任回国的美国前驻华联络处主任布什，特别将代表团接到自己的家里，用家宴款待中国代表团。

“我知道你们不太习惯西餐，所以特意请了中国餐馆的师傅做了几道中国菜……”布什在北京待了数年，十分了解中国人的生活习惯，他以孙敬文等人所能接受的方式热情招待了中国石油公司代表团。

“当时我们没有想到的是，在这个优雅而讲究的石油之家，竟然会出了两位美国总统。”秦文彩接受采访时对我说。他回忆代表团到布什家后，布什夫妇先是请他们看布什从中国带回的各种摄影作品，然后参观了他们的农场。在晚宴上，布什讲了以下基本内容：中美石油合作有着非常广阔而美好的前景。中国的大陆架蕴藏着丰富的石油资源，而美国的海洋石油勘探开发技术始终走在世界前列。所以相信两国的石油合作会有非常好的前景。

虽然当时大家对美国人格外热心两国合作石油开发的真正意图还不太清楚，但秦文彩他们感觉这话从布什嘴里说出来，可信程度似乎多了些。“因为布什在中国的几年里，对中国还是蛮友好的。”大家印象中这样认为，外交部也这样评价。

然而，秦文彩和代表团的成员们对当时的布什还没有太多的了解。他们只知道布什是石油行业出身，做石油生意是他的本行，而并不知道美国政府从尼克松政权开始，就一直因为这个“石油问题”在暗暗主导着与中国的关系，所以当尼克松与周恩来签署“中美上海公报”之后，就派出了身为石油巨商的布什来中国当首任“联络处主任”。而这个布什也了不起，他不仅在完成“中国之行”的使命后，回到美国当了中央情报局局长，再后来还当上了美利坚合众国的总统，并且亲自挑起了以争夺石油为目标的第一次“两伊战争”。这还不算完，他的儿子——小布什后来竟然也当上了美利坚合众国的总统，并且又以石油为目标，在中东又一次发动了“沙漠风暴”——将不听话的伊拉克总统萨达姆赶下了台，弄得今天的伊拉克人民仍处在水深火热之中——这都是后话。

秦文彩他们的中国石油公司代表团在休斯敦的活动最为频繁，这里是美国石油工业集中的地方，也是美国石油工业的发源地。

休斯敦属于得克萨斯州。1901 年 1 月 10 日上午，就是在这里的一座叫斯潘德尔托普的小山上，一位名叫阿尔·哈米德的男子绝望地从他钻的井下爬上来，告诉他的兄弟库尔特井下根本没有石油。岂不知地下正酝酿着一次举世震惊的爆炸和愤怒的咆哮。突然，从这两位兄弟脚下的100英尺（约30.5米）的地底下，一股黑色的液体，如巨龙般蹿出井口，直喷空中，高达数百英尺，然后像黑雨般落在地面上，顿时将钻井台撞得粉碎，并洒满了得克萨斯的红色土地……“油！我们找到石油啦！”哈米德和库尔特兄弟俩捧着流动的黑色金子，欣喜若狂地到处奔走，将他们的收获告诉了所有得克萨斯人。

一向不被合众国人民看好的得克萨斯，从此成为美国最沸腾的地方，那些淘金者、银行家纷纷涌向此地，后来最有名的当然要算洛克菲勒先生了，他在此创立的美孚石油公司不仅改变了美国经济，同时也改变了美国在世界上的政治地位，同时也宣告了英国人创造的煤炭时代的结束和石油新时代的到来。

得克萨斯州石油的发现，使20世纪的世界变成了今天这个样子。

全世界所有的石油人没有不知道得克萨斯的，但能够在这里获得经验和技术，其实也不是件容易的事，尤其是在美国这样非常敌视共产主义的资本主义国家。如果稍稍推前几年的话，中华人民共和国石油公司代表团能到此学习参观，简直就是一件不可思议的事。但现在不一样了，现在是美国人特别邀请中国石油公司代表团来此，而且其热情程度让人有些难以想象，代表团到得克萨斯后，几乎是想看什么都能看到。四天时间内，秦文彩和孙敬文他们带着代表团成员，先后参观考察了休斯敦工具公司、贝克公司、德莱赛工程公司、国民供应公司和得州仪器公司。当然代表团不会漏掉考察世界最大的石油公司——埃克森石油公司。这个埃克森石油公司，就是洛克菲勒先生创立的美孚公司被联邦政府强令解体之后，所成立的几大公司之一。在埃克森公司的研究中心，中心总裁不仅热情接待了中国客人，还请这里的专家维尔博士介绍他们中心所拥有的最新地质研究理论——地震地层学。这种新理论把地震学、古地理、古生物学结合起来，发展成一门崭新的地质学理论学科，用地震地层学的理论与观点，划分地层，探明地质构造，并且结合地球化学的方法，研究古地温、古水分的活动轨迹，从而判断油气生成、运移和储备规律，圈出有利的含油构造带并对远景储量做出科学估计，是最先进的找油技术之一。

“如果我们把这门科学理论学到手就太好了！”秦文彩和孙敬文、李人俊在私底下窃窃私语道。

“我所讲的理论，都在这本著作里，它叫《地震地层学》……”维尔博士把一本厚厚的英文版书举在手中，友善地对中国客人说。

中国石油人望着维尔博士手中的那本书，恨不得上前一把抢过来据为已有……可是外交礼仪和中国人的尊严让他们强压着自己内心的情绪和冲动。

“来，我把它作为礼物送给你们——”维尔突然微笑着将书送到团长孙敬文面前。

“拿吧！快接呀！”有代表团成员已经迫不及待地用中文说着。

“文彩，你是秘书长，你来接这份珍贵的礼物！”孙敬文发话了。秦文彩赶紧“哎”了一声，上前从维尔手中接过《地震地层学》。

会议室内，顿时响起雷鸣般的掌声。

“这美国佬其实也不是那么坏嘛！”走出埃克森公司研究中心，代表团中有人这么说。于是立即有人呼应道：“你们不知道，在美国和西方，科学研究理论是可以公开发表的，要不然诺贝尔奖为什么有那么多被美国人得去了！”

“是啊，我们中国人其实也不笨，像钱学森他们为什么不能获诺贝尔奖，我看主要是我们的尖端科学家一直都是隐姓埋名地搞技术，有了成果也不会让外人知道是谁完成的。也应该改一改了，太封闭了！”

“别瞎说！小心回去整你……”

于是谁也不再议论了。回饭店的车上，只见秦文彩在向团员闵豫悄悄交代着：“老闵，你是地质专家，这本书太宝贵了，你好好保管，回去我们就找人翻译出版……”

“明白！”闵豫接过《地震地层学》，双手紧紧地将书抱在怀里。

一本《地震地层学》和这门地震地层科学理论，给中国的石油工业带来的好处到底有多少，也许至今我们还没有人去总结过。但我所知道的是，在近三十年来中国新发现的石油资源中，有一半以上的技术突破靠的是地震地层学理论的功劳。比如，2007年国家正式对外公布的唐山南堡油田的发现过程，就是石油地质勘探专家们运用了地震地层学理论，在浅海滩的老探区进行了二次三维地震技术，实现了找油的重大突破，找到了一个等于当年大庆油田初期储量的20亿吨大油田。温家宝称南堡油田的发现，让他“兴奋得睡不着觉”，原因是：地震地层学理论的运用，在中国广大油田老探区可能实现重大突破，因为南堡油田的大发现，仅仅是在一个只有1000多平方公里的小区域内实现的，仅南堡油田所在的渤海湾区域就有20多万平方公里的面积是与南堡油田相同的地质构造，那么按照相同的地震地层学理论与技术进行勘探的话，中国的石油资源前景难道不是又有一个巨大的飞跃吗？事实上，中国除了南堡油田尝到运用地震地层学的好处外，已经有了长庆油田的新发现等巨大成果。

美国科学工作者的技术开放，让我们感到了人类知识成果共享的意义。这是后话。现在还是让我们回到 1978 年 1 月的那段时光，继续跟随中国石油公司代表团的行踪吧——

“世界发展太快了！简直不可思议！我们的技术人员还是用笔和尺在画画，人家已经都用卫星遥感技术了！”

“可不是，我们还挺保密的，可人家连我们计委大门口牌子上的毛主席语录都能照得一清二楚。唉，落后！落后真的要挨打！被人打了还不知道是怎么被打的呢！”

在美国专家运用投影技术、三维技术和遥感技术向中国石油公司代表团介绍美国技术时，那一幕幕实景实像的展示，尤其是美国专家毫不掩饰地将他们通过遥感技术拍摄的北京和中国重要基地的影像展示出来的那一刻，代表团成员们目瞪口呆了：原来人家的技术已经先进到这个份了！他们根本不用到我们中国去，就已经能将我们那些所谓的“保密”单位尽收眼底了……

“这家伙，如果打起来的话，人家不是一打一个中吗？”

“可不，我们还蒙在鼓里呢！”

“中国真得迎头赶上，否则麻烦就大了！”

眼见为实，代表团成员们越看越感觉到心头的压力，他们个个内心充满了强国志愿。

14 日、15 日两天，代表团参观了埃克森公司的凯迪油田和休斯敦美国航天测控中心。最令秦文彩难忘的是在凯迪油田的参观：这是一个油气处理厂，可代表团全体成员开始以为走错了地方。“这不会是公园吧？”有人瞅着一路花团锦簇、干净整洁的厂区，悄然寻思着答案。“真是怪了，也没有气味，噪声也一点没有！”“可不，工人也就没几个嘛！”

“你们注意到没有，这里连放喷的火炬都没有！”秦文彩四处寻觅了半天，问孙敬文。

“我也觉得奇怪。你问问是怎么回事……”搞了几十年石化的孙敬文其实也感到纳闷。

一问主人才知道，他们采用了先进的轻烃回收技术，所以整个油气处理厂区看不到一盏“朝天灯”——中国石化人爱把明火炬称为朝天灯。

“得把这门技术学回去，既环保，又省下不少资源。”秦文彩向代表团的同行建议道。

可学的东西太多了。日程安排异常紧张：到了伯克特芒特后，代表团为了多学多看些东西，秦文彩与主人取得沟通后决定，代表团分成甲、乙两组，孙敬文带甲组，秦文彩带乙组。甲乙组先后乘直升机到不同的钻井平台参观，甲组顺利返航。乙组参观完返航时遇到 7 级大风，滞留在钻井船上过夜。

秦文彩他们自己开始并不知道，他们的到来，在当时的美国尤其是在美国石油工业界也引起了一场巨大“地震”。这是因为美国石油界一直是引领合众国工业与经济的火车头，从某种意义上讲，美国的石油界还是整个世界经济的火车头。这个以输出技术和设备换取巨大利润的国家，在 20 世纪 70 年代初之后，他们的石油工业战略分为两大块：一是石油资源的获取；二是石油勘探开发技术的输出。前者，美国在本土的石油资源开发基本上搞得不多，主要是在海外国家获取；后者，美国大量输出甚至基本控制了全球的石油勘探开发技术与设备。说白了，就是把石油从国外拿回来，供全体美国人使用并适当储备起来；技术装备则由美国人供应给全世界，赚足别人的钱。所以，石油工业界的商人们见自己的政府向中国这个还处在睡眠状态的东方巨人开启合作之门时，他们赚钱的欲望一下被激活了！于是在中国石油公司代表团访美的那些日子里，秦文彩他们的一举一动，受到了全美所有石油工业界商人们的关注，特别是那些大公司，他们想尽一切办法接近中国代表团，一旦有亲近机会，必紧紧抓住不放，甚至表现出一些过头的谄媚。其实对资本家来说，这并不算什么，到手的钱不去拼命地抓住，那就是头等傻瓜！美国人的行为逻辑非常直接和简单，同时也极为执着和赤裸裸。

也许美国人已经摸透了中国石油公司代表团的意图，知道这个来自东方的未来石油大国正在酝酿一场波澜壮阔的石油工业革命，而且种种迹象表明，开发海上石油将是中国石油工业的一个新方向。海洋石油开发，必定需要海上石油钻井平台。伯克特芒特造船厂的老板怎能放过一个好生意的机会呢？

“中国朋友们，我们老板为了让你们更好地了解我们厂生产的钻井平台，决定破例邀请你们到海上现场参观我们的钻井平台设备。瞧，直升机来了！”主人突然告诉秦文彩一行。

“时间不会很长的，而且保证安全！”正在秦文彩他们犹豫时，主人再次热情邀请道。

“去吧，既然人家把直升机都开来了嘛！”秦文彩临时决定道。于是乙组代表团成员迅速登上伯克特芒特造船厂的商务专用飞机，向墨西哥海湾飞去……

美洲著名的墨西哥海湾，是个神秘且曾经无比辉煌的地方，印第安人曾经在这里创造了令世人瞩目的玛雅文化，而墨西哥海湾又是世界著名的石油资源富区，现代海洋石油工业就是从这里开始发展直至扩展到当今的全世界范围。所有从事石油工业的人都知道这一点，所以秦文彩他们作为中国第一个石油工业代表团，自然不会轻易放过这样的一个学习机会。

中国的陆地石油工业从 1907 年延长油田开发出第一口油井之后，经过几代科学工作者和工程技术人员的努力，特别是新中国成立后克拉玛依、大庆和胜利等油田的相继发现，已经有了长足发展，不仅使中国摆脱了依赖石油进口的历史，还完全满足了自我发展的经济需要，但海洋石油工业在中国仍然处于非常初级的阶段。

在相当长时间里担任石油部生产司司长的秦文彩，非常清楚中国海洋石油所走过的历程，那几乎可以同战争年代“小米加步枪”的历史相提并论，而美国等西方发达国家的海洋石油在20世纪六七十年代，基本都已进入了“航空母舰”时代。

身临其境，秦文彩真正感到了中国工业与西方世界的巨大差距。

那一天，代表团成员们走出直升机舱门，踏上停泊在大洋之中的钻井平台时，他们个个都被眼前的情形震撼了——瞧这“航母”般的钻井平台，简直就是一座海上的不夜城。高高的平台，耸立在大海的碧波之上，至少有十几层楼高。那钻机旋转时，其轰鸣声震动四面海洋，可站在平台上你并没有感觉到地动天摇，相反既平稳又安全。球场似的钻井台既是一个工地，又同时拥有各种生活设施，工人和技术人员可以在这里生活几十天，甚至半年都不会感到乏味……秦文彩他们抵达海上平台时正值傍晚，海面上一座座钻机平台如同天空闪耀的璀璨星辰，在大海中交相辉映，组成了天地合一的海市蜃楼般的奇景，甚为壮观而神秘。

要是我们也有这样的“海上不夜城”该多好啊！秦文彩等中国石油人感叹着眼前的一切，联想着自己祖国的海洋石油工业——我们真是太落后了！落后不是几年、十几年，而是几十年，甚至上百年啊……

秦文彩的内心一阵深深刺痛。每当美国的石油专家问起“中国的海上找油什么时候开始的，现在是个什么水平”时，秦文彩和代表团成员们便立即会有种羞愧感。是啊，我们的海上找油是从什么时候开始的呢？现在又是个什么水平呢？没有人能真正回答得上来。

在3000多年前吧，我们的古人就有了精卫和哪吒在海上点油滚火轮的传说。秦文彩他们只能借这美妙的传说，来搪塞美国人。

噢？美妙！太美妙了！美国人听后满目惊诧，然后大笑，那笑声里显然带着很浓的嘲讽味道。

来到墨西哥湾，美国人告诉秦文彩等中国同行，美国是在1947年就首次在墨西哥湾成功地运用钢制钻井平台，钻出了世界上第一口海上商业油井的，并随之促使海洋石油工业风靡世界。

1947年我们中国在干什么？秦文彩一想：那时我还在晋南与胡宗南的蒋军部队展开生死搏斗呢！整个中国正在血流成河的大内战之中……还有谁去想着找石油的事？更不用说到海上找石油了。

“自1947年我们在墨西哥海湾用钻井平台打出第一口商业油井后，世界的海洋石油事业发展之快，超出了我们想象，尤其是我们在中东波斯湾连续发现海上大油田后，世界海洋石油业的影响几乎可以像一战、二战那样的战果支配着人类的发展命运……”美国人谈起由他们缔造的海洋石油业时，总是眉飞色舞，趾高气扬。

中国的海上找油是什么时候开始的？这天在去伯克特芒特的路上，代表团中就有人问过这样的问题。

“唉，落后多了！”当时孙敬文团长重重地叹了一声，说：“我听张文彬说过，人家美国人在海湾一年打出几十口高产井时，我们的海洋找油还处在奇妙的幻想之中呢！人俊，我说得对不对呀？”孙敬文转头问李人俊。

李人俊直了直脖子，说：“没错。我第一次听人报告中国的海上有石油应该是在1956年……”

“1956年——那应该说也不算太晚呀！”代表团中有人听老部长李人俊这么一说，便兴致勃勃地围在他身边听着他讲述中国海上找油的那段“古老传说”——

“想听？那我给你们说说。不过，你们可能想象不到，中国的海上找油并不是我们石油部的人最早参与的，而是老百姓自发的！”李人俊卖了个关子，说：“文彩他们知道，我们的海上找油最早是从南海那边开始的。在海南西南有个突出的‘犄角’，那里有几个散落的小村寨，统称为莺歌海渔村，离三亚那个‘天涯海角’不远，一二百里路。1956 年当地驻军在那个村里放了一场电影，电影的名字叫《海上巴库》。巴库是苏联著名的油田这大家都知道，这部电影讲的是苏联在海上发现了一个大油田的故事。莺歌海渔村的老百姓在看电影时看着看着兴奋了起来，说我们莺歌海面上也有冒黑油气泡的地方呀！这下热闹了！老百姓的话传到了干部耳里，干部们又将这消息报告了当地的盐场，盐场又报告给了广东省和我们刚刚成立的石油部。我们听到这个消息后非常高兴，立即就向离莺歌海渔村最近的盐场发了一封信，请求他们的勘探队帮助我们到海上取份油气样本。盐场很重视这事，因为当时毛主席曾经有过一个号召，要求全国各地群众踊跃参与报矿，所以盐场很快找到当地熟悉水性的渔民万来弟出海到那个冒气泡的海面潜水探查。万来弟没带什么装备，就戴了一副防水镜。在海底，他看到了一个石头缝隙里冒着油气，但取样挺难。盐场勘探队最后想了个法子：他们自制了一只漏斗，在漏斗上接一根皮管，然后将漏斗倒扣在冒气的地方，让油气顺着橡皮管子进入漏斗……油气苗的样本后来送到了我们部里。经化验，确认是油气，大伙儿非常高兴。当时的勘探司司长唐克就找到了正在北京石油学院参加培训的四川石油管理局的地质师马继祥，把摸清莺歌海油气的任务交代给了他。找马继祥是因为四川局找油气有经验。于是春节一过，马继祥便到了南边的莺歌海渔村去了。后来小马在海军的帮助下，完成了对莺歌海油气苗的初步勘探，几个月后他拿回部里的报告我还记得有这样几句话：在冒气的地方，海底岩石坚硬，是第三纪的地层；海底裂缝走向 110°～120°，与海岸露头走向一致；采集的气体可燃，火焰蓝色，有硫化氢气味……这是典型的油气嘛！李聚奎部长和康世恩同志都很兴奋。1958 年，余秋里部长来了，他很快听取了康世恩同志的意见，立即决定派出一支专家队伍前去莺歌海调查，这事与广东省省长陈郁一拍即合，所以我们的人立即动身去了那边，同样取得了一些成果。这年秋天，正在北京石油学院任苏联专家组组长的苏联乌克兰利沃夫石油学院教授、地质系主任司那尔斯基来到了莺歌海，我们部里也派出了勘探司副司长崔振东、北京石油学院地质系主任张更和地质研究院余伯良等专家陪同。司那尔斯基一到莺歌海，听当地百姓说晚上能看见海上一种美丽奇观——幽暗的海面上出现一片片如萤火虫儿翩翩起舞的景象，便要求去海上观景。在海上，司那尔斯基真的看到了大片大片的‘萤火虫’——那‘萤火虫’像海空流星一样，闪闪发光，还似乎能飞动。苏联教授兴奋地大叫：‘太美妙！太美妙了！’司那尔斯基在这次考察回来，作了一个令我们感到万分鼓舞的断言。他说：波斯湾和墨西哥湾是两个‘石油极’，中国的南海可能也是另外一个‘油极’。什么叫‘油极’你们都知道，就是世界超大级油田！”

“后来我们在莺歌海打出大油田了没有？”代表团中几位在西北工作的同志迫不及待地问道。

李人俊摇摇头，瞅瞅孙敬文和秦文彩等人，颇为失望道：“后来我调到计委了，石油部的事就不太清楚了。”

“秦司长，你说说，后来到底啥结果？莺歌海有没有大金娃娃嘛？”有人缠住秦文彩了。

秦文彩苦笑了一下，说：“如果在莺歌海抱到了大金娃娃，我们可能就不会来美国了……唉，可惜啊，我们也没那本事哟！”

这话，一下让团员们感到很泄气，再也没有人重提此事了。

其实秦文彩心里苦啊，前些年他从四川“牛棚”里出来，受命赴阿尔巴尼亚指挥了一场油井灭火战斗后，算是获得“解放”。后被余秋里留在北京，在当时的燃化部“油开组”任组长，参与了当时全国石油生产与规划的全过程，所以十分清楚中国海上找油的艰苦与辛酸历程。中国的南海、东海和渤海湾有油的事实早已在20世纪五六十年代时就被我国自己的石油部门和地质部门所证实，但由于我们自己没有海上勘探石油的基本设备，其工作进展基本处在停滞状态。中国的海上石油勘探靠的啥设备？秦文彩知道。1960年，石油部在莺歌海打的第一口海上勘探井叫“英冲井”，用的竟是一艘方驳船装上陆地用的那种最简陋的“三角井架”打的一口井，该井水深15米、捞得原油150公斤。这就是被石油人戏称为“中国海洋石油第一吻”的成果。1964年，在石油部和广东省及海军南海舰队的共同努力下，用两个500吨浮筒作基础，上面连接钢架制成的一个宽17米、长22米的平台，这就是中国的“南海一号”。它后来打的“海一井”，就是中国人第一次用自己设计的海上钻井平台，第一次按照严格的科学程序进行的海上石油勘探工作。康世恩后来常说的“中国海洋石油靠的是两个筒筒起家”，指的就是这个。南海石油勘探后来一直延续进行着，但因南边的战事连绵不断，加上我国的海上勘探设备和调查装备都不能适应海洋石油勘探的特殊性，所以一直到“文革”结束时，整个中国海洋石油事业仍没什么进展。

在另一个海域——渤海湾的情况与南边海洋勘探的进展相差无几。一句话：中国的海洋石油勘探设备太差，根本无法实现大的突破。甚至有外国专家断定：中国即使能在大陆上找到大庆这样的世界级油田，但海上找油还需要沉默一个世纪。

一个世纪？秦文彩和中国石油人以前听人说这样的话时，会有种愤怒和不服气的感觉。可现在当他们站在墨西哥海湾的现代化钻井平台上，看着灯火辉煌、如梦如幻的异国“海上石油城”时，他们内心的震撼远远超过了原先的想象：是啊，中国的海洋石油技术和装备真的同先进国家差距太大了，这差距或许不到百年，但至少也有 50 年、80 年啊！

秦文彩的心头有些隐痛，同时又有几分庆幸：党和政府终于让我们出来看一看这外面的世界了！

“小心！”突然，一阵强劲的海风在墨西哥湾卷起，钻井平台上顿时听到骇人的呼啸声。“快进舱内去——”有人在大声喊着。秦文彩等中国代表团成员迅速被引到风平浪静、暖风融融的舱室。当秦文彩隔着玻璃窗口再回头向大海看去时，除了掀天的巨浪外，什么都看不到……

“好可怕！看来今晚不能与孙团长他们会合了！”代表团中有人颇为忧心地对秦文彩说。

“十分抱歉，没想到天气会变化得这么快！”美国主人觉得很过意不去。

秦文彩连声说“没关系”，其实他内心巴不得有这样千载难逢的机会——有一夜的时间在人家的海上平台上学习，也许能终身受益。“李先念副总理不是让我们出来学点真东西吗？既来之，则安之。”秦文彩对几位团员说。

“老秦，风浪太大，大伙儿实在受不了……”有个团员一边拍着胸口，一边艰难地走到秦文彩面前说。

秦文彩笑了，忙说：“大伙儿都是第一次到海上，晕船肯定难免，你们就好好休息吧。”

“那你呢？”

“我？哈哈，放心，两三个月前我在渤海湾经历的那场风暴不比这弱！”秦文彩轻描淡写地说了句。

“是啊，老秦是海上的老把式了，我们哪儿能跟他比？”大家一个个甘拜下风地离开秦文彩，迅速到了主人安排的休息室，苦熬着痛苦的一夜……那一夜，确实可怕，就连“老把式”秦文彩都觉得有点恐怖——巨大的钻井平台，在飓风和海浪的折腾下，不时发出“嘫啦——嘫啦——”的响声。

“走，我们去找船长聊聊。”秦文彩对翻译姜顺源说，随后他们一起来到钻井船的餐厅。

“欢迎欢迎！”船长见中国朋友要跟他聊天，格外高兴。他对秦文彩能够适应海上钻井台的飓风感到有些意外：“你的同事们都倒下了，可唯独阁下平安无事，了不起啊！”

翻译告诉船长，秦是中国很出名的石油系统的领导干部，同时也是钻井现场的灭火专家，指挥和经历过海上的抢险战斗，老船长立即竖起拇指连夸：“OK！”（好样的）

秦文彩谦和地摆手，说：“中国的海洋石油工作基本上处于刚刚起步阶段，要好好向你、向你们美国学习。”

“其实海洋石油勘探，从地质工程上讲，跟陆上差不了多少，可海上的钻探施工难度就要大得多了！你看，我们这么大的钻井平台，一旦遇上风浪，就像一只竹篮子漂荡在海中，说不准就会被冲倒、冲垮……”船长的年岁其实比秦文彩小不少，也就是四五十岁，但从他一脸深深的皱纹和那张黝黑的脸庞上所显露的自信，可以看出他是位多年与墨西哥湾的海浪厮杀的“老把式”了。

秦文彩一边听老船长聊着墨西哥湾的种种传说和石油开采的往事，一边不由想起自己在渤海湾的那一次海上经历——

这是1972年秋天的事。有一天秦文彩突然接到部里的指令——他已经习惯于这种突然的指令，早在川中担任矿务局局长时，在指挥过那场特大的井喷事故扑灭工作后，他竟然意外地成了石油部的“灭火专家”，哪里一出现井喷一类的事故，“找秦文彩”差不多成了石油部上下的一句专用语！这次秦文彩接受的任务不一样，是因为井喷发生在海洋里作业的钻井平台上，而这一次抢险也让秦文彩知道了海洋钻井平台和海洋打井是怎么回事。

那次发生井喷事故是我国自行研制的第一台海洋钻井平台——“渤海一号”，是在渤海湾“渤井17号”施工时突然出现的。当时平台上有六七名石油职工，加上“渤海一号”钻井平台本身设计上的缺陷，井喷后舱内迅速囤积了大量海水……在石油人的生命和国家财产面临一场浩劫的紧急关头，秦文彩又被调来指挥这场特殊的制服井喷的战斗。

这可怎么办？当秦文彩乘着一艘油水运输船火速赶到大海中的钻井平台时，他心头不由得一阵紧张：如烈马呼啸的油气，挟带着泥浆喷射到半空，然后又如雹子般倾盆而下，溅打在平台的甲板上。钢铁的甲板和钻杆，此刻犹如橡皮软面，发出阵阵尖利的咆哮……眼看着几十名被困的石油战友处在生死关头，国家财产面临最危急的时刻，秦文彩的心顿时悬了起来——海上制压井喷远比陆地要复杂和困难得多！

先不说从何处下手，仅在油水供应船上颠簸一天就够受的了。俗话说：海上无风三尺浪。第一次出海，秦文彩感觉自己的双脚就是不听指挥，船来回一摇摆，五脏六腑就跟着翻跟斗……那难受劲儿使你只有一个想法：吐！直想把肠子吐个精光。

经过数小时的拼搏，油水船总算靠近钻井平台。可当秦文彩探头往钻井平台一看，他一下傻了：整个钻井平台被裹在黑色世界里——黑雨、黑浆、黑雾……而且从地底下呼啸而出的井喷仍在不停地加剧这黑色世界！

厚厚的油污将平台的每一寸都搞得又腻又滑。钻井队长好不容易将秦文彩从船上拉到平台上，结果稍一松手，他就滑了个四脚朝天，好在他早已里外上下成了“非洲人”，所以再摔几跤也无所谓。

“那一场井喷，我们用了七天七夜才控制住……中间到底想了多少法子，连我自己都记不清了。总之，能想到的和没有想到的，啥法子都用上了，还算我运气好，最后平台上的几十名职工得到了安全转移，‘渤海一号’钻井平台保住了。”秦文彩平静地告诉我。

也许正是这次特殊经历，当秦文彩此次在墨西哥湾能够意外地与世界上最先进的海上钻井平台的老船长聊天时，他显得格外专注——

“海上钻井，是不是最怕大风？”

“当然。我们也怕风，墨西哥湾的海风一旦吹起来，就像烈马一样，难以驯服。”老船长与秦文彩一问一答。

“如果飓风来了，平台又无法抵御时，你们怎么办？”这是秦文彩最为关心的。当时“渤海一号”的成功救险，从某种意义上讲是靠了老天帮忙——几天后海风平静了。现场指挥的秦文彩比谁都清楚：如果那次飓风不停，他秦文彩再有能耐，也无法实现“人定胜天”的结果。可那时上级的命令非常清楚：人不死，井喷要压住，钻井平台要保住！在那七天七夜的激战中，有多少次秦文彩曾想，除非老天保佑，否则不可能人、井、机三样都保下来。最后确实是老天保佑了他。

“我相信，一旦遇上大风，墨西哥湾的上帝也不会保佑你们的。”秦文彩想弄明白美国人是如何来实现事故过程中的人、井、机三保的。

船长耸耸肩，双手一摊：“这很简单，我们不会有这样的问题。大风来了，我们停止作业，撤人！”

“撤人？”秦文彩心中顿时冒出一个“国家财产怎么办”的念头，喔，他们的财产是资本家的，可资本家也不会不珍惜这价值一两亿美金的钻井平台呀！“那……井台怎么办？”他的眼睛盯着比自己年轻的船长。

“船嘛，当然是交给上帝了！”船长一脸轻松地回答道，好像井台与他毫无关系。

“美国和西方的石油公司都是采取股份制开采石油的，他们的设备也都是投了保险的，一旦井船发生沉没事故，其损失完全由保险公司承担，业主根本不用担心什么。”翻译悄悄向秦文彩解释道。

原来如此！可、可我们一直奉行的是“人在，设备在”啊！结果一旦遇上不可抵御的自然灾害时，通常人也没保住，设备更不用说了，统统去见上帝了……中国和西方在经营制度与管理理念上的差异，真可谓天壤之别啊！

“过去我们从不提以人为本的思想，其实从这一次夜访西方石油公司的船长后，在我的思想上深深地烙上了搞石油，尤其是搞海上石油，必须坚持以人为本的思想。”在我采访秦文彩时，老部长反复讲了这句话。他同时也一再感叹以胡锦涛为总书记的党中央提出的以人为本的治国理念之英明正确。

墨西哥湾的那晚，船长见秦文彩对西方海上勘探的这种“三方责任”管理模式特别感兴趣，于是便进而介绍道：他们所属的钻井公司，作为一个专门从事钻井作业的承包商，主要为石油公司提供钻井作业服务。至于其他相关作业的支持保证，则由多家不同的专业承包公司来完成。合同是唯一联结各个专业服务公司的纽带。这其中，合同就是法则，就是作业的最高指令、管理目标与作业标准。效益则是石油公司以及相关专业承包商追求的终极目标。

原来如此！秦文彩猛然感到自己国家多年来在石油勘探和管理上一些经常无法回避的问题和没有效益的症结，此时在墨西哥湾的海洋上一下找到了“通道”！

这就是资本主义的先进管理机制？这样的管理机制为什么不

能为我社会主义事业服务呢？难道先进的东西不属于全人类的文明范畴？秦文彩的脑子搅成一团糨糊……

船长继续说着："我们的井是石油公司投资的，钻井船和钻井队是承包商雇来的。不仅如此，钻井工程设计、技术服务、海上配餐，都有不同的承包商。"

这承包商这么厉害啊？他们能包起那么多事来？在我们中国，倡导的是一盘棋思想，而且是天经地义的运作方式，并且认为这是最出力量、最出效益的"法宝"！我们不是常说，石油工业，钻井就是龙头，地质研究、材料供应、后勤保证必须围着钻机转！各行各业都要拧成一股绳，心往一处想，劲往一处使才能生产出"社会主义效益"吗？这、这资本主义却采取分而治之，怎么比社会主义的一盘棋更出效益呢？

秦文彩有些百思不得其解。

"其实我们的石油公司和承包商都是有严格的合同的，承包商要是没有按照合同履行，业主都可拒付承包费或处罚承包商。因此承包商都会千方百计按时按质做好工作，不用你催促和一遍遍地检查，他们不敢怠慢，怠慢了就是自己砸自己的饭碗！"船长娓娓道来。秦文彩听得如痴如醉，有时甚至还不敢相信是脚踏在墨西哥海湾。在中国石油战线工作了许多年，尤其是在"油开组"任职的那些年里，他秦文彩对中国石油开发与勘探过程及管理方法了如指掌，中国的以生产调度为中心、以石油钻井为龙头的习惯做法，早已成为一种传统经验和不可动摇的工作制度。而这一天一个西方世界的石油钻井船船长的话，让他内心卷起了滔天巨浪——这对过去留存在自己内心的那些自认为完整和成熟的"红色经典"，顷刻间出现了动摇与疑问……太不可思议了！

邓小平同志说过——认识落后，才能去改变落后，学习先进，才有可能赶超先进，是不是就是我们这次出国访美的一个针对性话题？秦文彩心头的疑团渐渐有些明朗起来……难怪中央对“中国石油公司代表团”访美如此重视！李先念同志一再指示说，“应派懂得的同志去，真学点东西”！

墨西哥湾的一夜海风，让秦文彩获得的意外收获非代表团正常安排中所能学到、听到和看得到的。美国石油公司经营海洋石油开发的理念、模式、体制，甚至包括工人在钻井平台的倒班休息、吃喝玩乐……总之，一切的一切，对秦文彩这位日后执掌中国海洋石油工业船舵的“中海油”老总来说，意义可谓太大了！

“文彩，你们没事吧？这一夜可把我们急死了！”第二天，当秦文彩带着乙组的代表团成员，从直升机上回到岸头时，身材高大的孙敬文双手抱住他便问。

“没事呀，海上风太大，我们就在船上住了一夜……这不，我们全都平安归队！”满载而归的秦文彩心里高兴，根本没有体会到团长孙敬文这一夜是怎么度过的。那会儿出国，别说在美国，就是在“兄弟”的社会主义国家，如果你单独行动一两个小时，弄不好就可能是很大的“政治问题”。

18 日，中国石油公司代表团到达路易斯安那州的新奥尔良市。这一天，美国另一个著名的石油公司——海湾公司邀请秦文彩他们到海上采油平台参观。

这是中国石油人第一次看到国际现代化近海石油勘探开发作业方式：在一片开阔的滩涂地上，一座座高耸云端的井架倒影在碧波荡漾的海面上，这里的油田施工，完全与中国石油人想象的不一样，其入口处是一条人工开挖出的小运河，再在预定的钻井处挖一个同钻井船一样大小的水池，靠水的浮力把钻井船和钻井设备拉到井位。钻井船坐在水池的基底上就可以打井，不用插桩和打桩，打完一口井，再把钻井船从人工运河内拖出来。“这方法经济又安全，完全可以用在我们的北部湾和渤海湾的浅滩上。”

秦文彩用手捅了捅邓礼让，问他行不行？“好方法！回去我们就试！”邓礼让连连点头。

19日，代表团再次分成两组，目的就是为了利用有限的时间多学点东西。这一天孙敬文带领的甲组到达拉斯，参观考察美国国民供应公司的钻机配套制造厂、核试验室、岩芯实验室以及埃克森石油公司的得州东部油田。秦文彩继续领着乙组成员，乘飞机到了巴特斯维尔，接待他们的是菲利普斯石油公司。总裁杜斯先生亲自设宴招待中国客人，对中国同行做出非常友好的欢迎。菲利普斯石油公司是美国“石油七姐妹”之一，在石油勘探技术方面一直处于世界领先地位。主人邀请秦文彩他们参观了公司的研究中心。该公司所拥有的先进的遥感遥测技术，不亚于前几日《地震地层学》对中国石油人的震撼。秦文彩对这项先进的技术更是兴致勃勃，因为他长期在四川找油，对于复杂的地质情况，如果能运用上遥感遥测技术，对地下情况的准确判断就完全不是中国找油人之前的那种“瞎摸瞎撞”能比的！

“遥感遥测资料运用的是卫星航拍技术，它可以将地球上的任何物体看得一清二楚。看，这是你们的北京……再放一个局部，你们看清了，那是什么地方？”公司技术人员一边放着幻灯，一边问秦文彩他们。

“这不是我们三里河的计委大楼嘛！”代表团成员中有人发出惊呼。

“对。你们再看看，这是什么？是你们的故宫！是故宫的大门……”美国人在炫耀他们的技术。而让中国人感到吃惊的是：人家竟然能通过这样的遥感技术，将我们伟大祖国心脏中一向被认为是最保密的地方都能看得清清楚楚！当时秦文彩和中国石油公司代表团的同志心里非常清楚一点：美国人怕激怒中国人，所以有意将卫星航拍下的中南海照片没有放出来……

现代科学技术太了不得啦！世界都变小了！

代表团从菲利普斯公司出来后的一路上，许多人沉默了……秦文彩知道，大家内心受到的震动和刺激太大了。中国确实落后了！落后了不是一截，而是一大截！

"怎么样，几天下来，有所收获吧？"1月28日，中国石油公司代表团再次被主人领进华盛顿的白宫内。明显带着几分得意和傲慢的美国能源部长施莱辛格叼着吸雪茄的大烟斗，出现在罗斯福厅内。他向中国客人询问着，随后又鼓吹了一通美国石油技术如何如何有实力和他们十分愿意给予中国石油同行的合作帮助之类的话。这一幕，令秦文彩印象深刻。

"听说这位能源部长以前做过美国的国防部长？"闵豫悄声问秦文彩。

秦文彩点点头。

"这美国佬让国防部长来当能源部长，其用心不一般哪！"闵豫的眼珠子直盯着满脸含笑的施莱辛格，不轻不重地私语道。

还用说，人家把能源当作称霸世界的核心武器嘛！秦文彩心里补了一句。

当晚，中国驻美联络处宴请了自己国家的石油代表团。

……美国一些大石油公司为什么积极地和我们拉关系呢？我们初步分析，可能有三个原因：一是他们估计80年代苏联将由石油输出国变成输入国，美苏争夺石油的斗争将会越来越激烈；二是美国油源紧张，去年生产原油4.6亿吨，却消耗了9.2亿吨，预计今后消耗量还要增加，极力想稳定国际油价并寻找油源；三是美国经济萧条，一些大公司急于为他们的技术、设备、资金找出路。

我们回国后，经过研究，认为在坚持独立自主、自力更生的原则下，以平等互利的贸易方式，直接和美国一些石油公司在勘探开发方面建立商务关系，利用他们的技术和设备，加快我们的石油发展，对我们是有利的。但不能采用他们对巴西的方法。我们的具体意见是：

一是为了加快海上石油勘探和开发，建议和美国的石油公司按我方条件进行接触。我们的条件是：在我确定的海域内，雇用他们的技术人员，由他们供应设备、材料，提供技术，进行勘探开发，所需费用按低息延期付款办法偿还。我们可以用一部分原油，按还款时的国际价格作价支付。

二是为了加快新疆南部油田、青海柴达木油田的勘探开发，需要从国外引进勘探、钻井、采油和运输的全套设备和器材。为了尽快地建成四川年产300亿立方米天然气的生产能力，要从美国引进集气站、压气站和气体处理厂的成套设备。为了加快大庆油田地面集输流程的改造，为30万吨乙烯提供原料，需要从美国引进原油稳定和气体深冷分离的全套设备。

以上报告，请中央领导们审议、指示。

“我的汇报完了。”

孙部长汇报完啦？秦文彩一激灵，连忙直起身子，思绪一下被拉回到了人民大会堂。他抖擞了精神，伸长脖子往主席台看去……

“人俊同志有没有补充啊！”华国锋在说话。

“有，我补充几句。”李人俊说话了。

秦文彩和宋振明等几位石油部的人相互使了个眼色，脸上露出了一丝旁人看不到的喜色，因为这都是事先准备好的，今天的会，石油部的人目的非常清楚：伸手向中央要政策！要钱！怎么个要钱法？自己人说没力量，旁人说最有力。李人俊既是中国石油公司代表团的副团长，又是国家计委副主任，他出来为石油部说话要钱、要政策，远比石油部自己人说话硬气。从某种意义上讲，在这样的情况下，李人俊的话比康世恩的话可能还更管用。石油部的人对李人俊太放心了，因为李副主任是老石油部人，尽管像余秋里副总理一样，离开石油部多年了，但李人俊对石油部的“交情”不用说谁都清楚！

果不其然。李人俊的话让秦文彩和宋振明等石油部的人听得津津有味：“我们知道，美国的资本家都是做大生意的，有的是钱！可我们现在没有钱，国家建设各行各业现在都等着上马，石油会越来越成为国家建设需要的主要能源。开采海上石油看来是我们扩大石油产量的发展方向，而海上石油开采没有先进的平台设备肯定是不行的。怎么办？我看石油部提出的几条可行。日本、德国怎么翻身的？日本就是用外国的钱，买外国的技术，10 年翻身，还超过了西方世界。联邦德国也是这样做的，他们都是没有原料的。我们的优势比他们好，我们有资源，积累快，来得就快！原油上到 2.5 亿吨不是没有可能！如果能搞得快点，多出口一点原油，什么账都还清了！要下大决心，一年现在给石油部 13 个亿的投资是不行的，100 亿元也搞不到 2.5 亿吨油！”

痛快！李人俊的话把石油部人想说的话一股脑儿全都说了，而且句句直截了当！

秦文彩看到宋振明的脸都激动得有些红了。

“好吧，我看今天就要把一些问题定一下。叶帅，你看呢？”华国锋有些疲惫地征询坐在旁边一动不动的叶剑英，“是不是就在这里简单吃点东西继续开会？”

“好的。”叶帅依然不动声色地轻轻点点头。

秦文彩发现，中央领导的便餐十分简单。“有点像现在的盒饭。不过每人用的是一个托盘，上面有几种菜和一点主食。非常俭朴。”秦文彩对三十年前的那顿便餐记得清清楚楚。“大约半小时后，会议继续进行。接下去主要是中央领导发表各自的意见，华国锋讲了一些话，但能感觉到他是在请叶帅和先念同志拿主意……”秦文彩说。

叶帅说话了，这位在1976年的历史关键时刻，直接领导了粉碎“四人帮”行动的元帅，在中国改革开放初期，一直是最重要的决策人物和邓小平的有力支持者，他的话让石油人激情澎湃，热血沸腾——

“我们搞了多年建设，深感高度现代化的国家势必要解决能源问题。有了能源，机器才能转起来，物质财富才能生产出来。”叶帅说，“苏美两国争夺能源，一天比一天严重。现在苏联领先一着，在中东和非洲的许多地方，把美国挤掉了……因此，我们发展石油工业，美国人是支持的。而且我们的东海、南海和渤海湾，有丰富的石油，美国对此是了解的，所以他们出于自己的战略目的，对我们的代表团访问很重视、很热情。他们现在是有求于我们，我们要抓住这一点，认真研究与他们的合作方式。我看引进设备啊，请他们的技术人员一起来合作开发海上石油啊，是可以的嘛！只要不影响主权，认准了就做！过去我们落后了，现在中央确定了在本世纪要实现四个现代化，就要急起直追，一天要做一个月的事情！”

“哗——”叶帅的话引来四起的掌声。秦文彩他们几位石油人更是把手掌都快拍痛了。

“石油部的报告我看了两次，写得比较好。我同意这样搞。”李先念在叶帅表态后也发表了十分肯定的意见。

“哗——”又一阵热烈的掌声。

要知道，那是1978年初啊！新中国的国门自从20世纪50年代与苏联合作时有所开启外，似乎没对谁开启过，没有！而1978年的春天，以叶剑英、邓小平等为首的主持中央工作的领导们，现在决定要重新打开国门，批准和同意石油部“在指定的海域，购买外国设备，雇用外国的技术人员，用分期付款的方式和所采石油偿还其投资，来进行我国的海上石油资源的开发”，这是何等的高瞻远瞩！这是何等的英明决策！

石油部的同志清楚，这回开启的国门，是面向西方——那个与新中国势不两立了几十年的“美帝国主义”喔！

“喂喂，石油部的同志留一下！”会议一直开到晚9时多。在送走中央领导后，康世恩显得非常激动，他叫住与会的石油部同志，让孙敬文他们围在他身边，说：“老孙，立即给美国人发邀请信！”

孙敬文也在一个劲地笑，他用手指指身边的秦文彩：“就让秦文彩去吧！”

“好！文彩，我们分别请，请他十家八家来！”康世恩越说越高兴，“南海、渤海湾都可以搞。我的意思是，先在渤海湾搞个三四百万吨原油出来！”

“这段时间大伙儿都说，中国的科学春天到来了！我看，我们石油人的春天也到来了！中国处处皆春天啊！”秦文彩看自己的老部长康世恩好久没有这么兴奋了。

是啊，中国石油的春天到来了！中国要处处皆春天了！那天，走出人民大会堂的那一刻，秦文彩深深地吸了一口气，他的眼睛情不自禁地转向天安门……啊，天安门宏伟壮观，那里有扇巨大的国门正在徐徐开启……

第三章　美国人的诡计:“道德上的战争”……

北京真正的春天应该算什么时候？3月，4月，还是5月？已经在北京待了几十年的秦文彩，没有直面回答我的问题，但对1978年北京的那个春天记忆十分清晰：这一年的春天，从参加人民大会堂“3·26”会议后，我们石油人仿佛天天生活在温暖的春天里！

“同志们，对外合作是一项全新的事业，一切从零开始！最近邓小平同志有个讲话，他说，我们的改革开放就像中国的一句老话一样，叫作摸着石头过河。中央现在批准了我们在搞海上找油时可以搞对外合作，认为只要在不损害国家主权和利益的前提下，各种方法都可以尝试。我们先搞几块试验田，搞坏了，也只是那么几小块，成功了，就全面推广。这就叫摸着石头过河！”这一年的4月初，北京到处已绿意盎然。位于六铺炕的石油部大楼里，康世恩正一边指着地图，一边挥舞着双手，在向他的下属动员着。

“文彬、文彩，我和宋部长已经商量过了，海洋石油的对外合作任务，就交给你们俩了！”康世恩走到张文彬副部长和秦文彩跟前，伸出双手，紧紧握住两位老部下的手，动情地嘱托着。

“请老部长放心！我们一定把工作做好！”张文彬这位为共和国石油事业做过卓越贡献的“石油师”老政委，像二十多年前在汉中率领全师官兵接受康世恩同志第一次检阅一样，向康副总理行了个军礼。

秦文彩更像一个战士，直挺挺地站在原地，等待接受司令员的训示。

“文彩，发给外国公司的邀请信准备好了没有？”

“报告康副总理，已经准备完毕！”

“好，你们与振明部长商量一下，我看可以发了！”康世恩满意地朝秦文彩点点头，然后说，“这可是件大事呀！这件事也许做成，也许做不成。做成了，可是一个历史性事件……”

一个历史性事件？康世恩的这句话，给当时的秦文彩留下深刻印象，虽然他一时还没有明白其意，但他知道自己和石油部的同仁们正在开创一件了不起的大事……

“跟外国人一起搞石油开采？成吗？”

“是啊，美帝国主义坏透了，他们是不是想借机颠覆我们伟大的祖国呀？”

“用万恶的资本家的钱，干我们的社会主义？这、这绝对不行！”

“毛主席早就说过，美帝国主义时时刻刻意图以各种方式对我国进行和平演变，秦文彩啊，你们这么干恐怕要犯大错误的！”

对外合作的风声刚刚在部分干部中传达，六铺炕石油部的大院内就有各式各样的议论，不时传到秦文彩的耳里，甚至有人直接上门要与他理论。秦文彩心头冷冷一笑：“文革”中莫名其妙地当了回“走资派”，那真是冤，我秦文彩过去连个真正的资本家都没正面打过交道。这回与西方国家的石油公司合作可不一样了，人家全都是大资本家，我们要跟他们平起平坐了哩！这也难怪人家有各种各样的看法。

5月中旬的一天，一份刊载《实践是检验真理的唯一标准》文章的《光明日报》放在了秦文彩的办公桌上，因为与张文彬副部长忙着召开海洋石油对外合作的专题会议，秦文彩只是粗粗读了一遍这篇文章，觉得有种十分解渴的味道：是啊，中国被“文革”害苦了，现在干“四化”，假如什么事都要看毛主席在世时有没有说过相关的话，那我们的建设步子还能迈得开吗？

“老秦，你怎么还在看这文章？”突然有老同事过来神秘地对他说，“上面有人对这篇文章很不满意！”

“谁呀？我看这文章讲得非常好。对我们石油工业的发展也有很大启发，不能什么事情都要等着看过去有没有做过，一切经验，都得通过实践来检验。真理也不例外。不信，我给你念一段。”秦文彩不以为然地拿起报纸念了起来：

社会主义对我们来说，有许多地方还是未被认识的必然王国。我们要完成这个伟大的任务，面临着许多新的问题，需要我们去认识、去研究，躺在马列主义、毛泽东思想的现成条文上，甚至拿着现成的公式去限制、宰割、裁剪无限丰富的飞速发展的革命实践，这种态度是错误的……

“听听，讲得多好嘛！”秦文彩念完这段抬头时，老同事早已不见踪影了，只听走廊里回响着一句话：“中国的事情复杂着呢，还是小心谨慎点好吧！”

那一刻，秦文彩愣在椅子里好一会儿。跟外国人打交道，尤其是跟美国人打交道，我们心里有多少底呀？

窗外一阵寒风刮进办公室，秦文彩打了一个寒战。

是啊，近一段时间里，关于中国高层的传说似乎特别多，一会儿谁平反了，一会儿谁又下去了，一会儿有人说这个可以干，一会儿又有人说那个绝对是不能干的。到底什么能干，什么不能干，好像争执特别多。我们的石油怎么干？议论同样多。华主席号召说要建设“10个大庆”，可反对声比提倡声还要多。10个大庆……秦文彩也在怀疑。中国要真能有10个大庆，实在是太好了！可10个大庆就那么容易搞出来吗？这一点秦文彩太清楚了：当年大庆会战，他手下的队伍去了几千人，加上全国的石油主力好几万人搞了五六年时间才建成了一个大庆。后来百万石油大军转战祖国的东西南北中，历尽千辛万苦，虽然也找到了像胜利、辽河这样的好油田，但这些油田加起来，才只够一个大庆的产油量。现在要建 10 个大庆，哪儿去找？我们的地底下真有那么多大油田？

秦文彩感到有些迷茫。

可是，中国地大物博，更何况我们还有辽阔的海疆，不信找不到像苏联的巴库和美国的墨西哥湾那样的大油田！苏联人和美国人不是也说中国的南海等海域可能是世界石油的“第三极”吗？

找油是石油人的本分，尽快找到大油田，是国家四个现代化建设赋予石油人的责任，义不容辞。但有一点秦文彩仍然不是特别清楚：为什么外国人，尤其是美国人对我们中国找油那么热忱，那么迫不及待？

为什么？难道正如有的人所说，这是“帝国主义的阴谋”，是他们在中国搞“和平演变”的突破口？多年的从军生涯和当过保卫科长的职业敏感，让秦文彩不得不将这些问题放进脑海里过滤几回：是啊，美国人为什么那么“热心”跟我们一起搞石油？他们到底为了什么？

资本家想赚钱是毫无疑问的，可为什么最先出面和表现最积极的倒是美国政府的头面人物们呢？

秦文彩在思考。

但他没有想明白，也没有想清楚，毕竟他不是外交家和国际问题研究专家。“嗨，这是我们所想的问题吗？中央会把关的，有叶帅、李先念和邓小平他们这些老同志在把关，我们用不着操那个心！”秦文彩最后找到了自我安慰的结论：听中央的，按中央的步骤办事，不会有错。

当时主管海洋石油对外开放工作的张文彬和秦文彩在这一问

题上的观点是一致的。“康世恩同志说得没错，我们是在干一件历史性的大事情，从未有人干过，好与坏，对与错，得让实践和历史来检验嘛！”张文彬说得非常坚定。秦文彩敬佩老政委一贯的政治判断力。

其实，秦文彩和张文彬想得完全正确。关于美国人为何热衷与中国进行石油开发合作，叶帅、李先念和邓小平等中央主要领导同志看得清清楚楚。也正是基于他们对国际形势的正确判断，并且抓住了超级大国之一的美国当时急于寻找能抗衡另一超级大国苏联的力量这一机遇，石油工业才能作为我国对外开放的突破口，借世界经济潮流发展，推进我国的四个现代化建设。

中国的这个大战略，美国人其实也是明白的。而世界历史从来如此：大国与大国之间的合作与斗争，都是以自我利益为出发点的。

长期被封锁和自我封闭的中国，特别是经历“文革”后的中国，急于腾飞起航。而这个时候，曾经作为敌对势力的美国，正遇到了前所未有的困难——苏联称霸的压力和第三世界要摆脱殖民统治和霸权统治、争取独立的浪潮此起彼伏。“美国人现在很困难，他们有求于我们！”叶帅的话一语中的明确说透了美国人为什么对中国那么“热忱”的全部底牌。

世界外交史上，现在一直把 1972 年尼克松访华、与毛泽东握手，视为这个世界上两个敌对大国和谐的开始。其实促成尼克松这次跨洋握手的因素，除了当时美国与苏联争夺霸权的意图外，还有一个特别重要的原因，那就是美国自身的能源问题，或者说是石油问题。而当时的石油问题，其实在美国人看来，要比与苏联争霸问题严重和现实得多——当然石油问题本身也有相当一部分原因是基于美苏争霸产生的。

尼克松访华之前，派出自己的安全事务助理基辛格秘密来到北京。尼克松为什么派基辛格来，大家现在所知道的理由是：基辛格是外交好手，所以尼克松把打开东方之门这样的重任交给了他。这当然非常合乎情理。但尼克松派基辛格来华，以及后来派布什任美国驻华第一任联络处主任，还有一个更重要的原因，那就是基辛格和老布什都是美国能源方面的行家里手，石油行业出身的布什前面已经讲过，此处不再重述。

基辛格在美国政坛和世界舞台上如此活跃，与石油有关系吗？不仅有关系，而且关系太大了！说白了，基辛格与中国打那么多交道，从某种意义上讲，也是因为他的“石油缘”……

亨利 · 艾尔弗雷德 · 基辛格，德国出生的犹太人。1938 年基辛格一家为躲避希特勒的种族灭绝，随父母兄弟到了美国，二战后，这位饱受法西斯迫害之苦的犹太青年重返德国在美占区工作，在清剿残余法西斯分子中立下汗马功劳。退伍后得到了石油巨商洛克菲勒基金会提供的奖学金，进入哈佛大学。一心想当名牌大学教授的基辛格，数年后第二次入哈佛大学获得哲学博士学位，也实现了当教授的愿望。这位有政治抱负的犹太人，对国际战略兴趣极大，其观点独特，因而被艾森豪威尔、肯尼迪和约翰逊政府看中，当了几任安全事务助理。但在基辛格从政的道路上，对他影响最大的则是美国“石油之父”洛克菲勒的孙子纳尔逊 · 洛克菲勒。1969 年，在基辛格出任尼克松安全事务助理时，早已看出基辛格早晚将“有作为”的纳尔逊 · 洛克菲勒给了基辛格 5 万美元，送他进了白宫。当时的尼克松总统虽然对曾经公开批判他的纳尔逊 · 洛克菲勒非常反感，但因为尼克松有求于大财主洛克菲勒家族，所以“接纳”了基辛格。进入白宫的基辛格也不辜负总统的栽培，在外交方面干得相当出色。尤其是他在处理中东问题上，比国务院的任何一位国务卿干得都漂亮，所以渐成尼克松总统的密友与干将。1972 年，尼克松连任总统，基辛格再次留职。

次年，老国务卿罗杰斯辞职，尼克松邀请基辛格接任，从此这位犹太移民的美国国务卿在世界外交政坛上叱咤风云，名声显赫。

1973 年，深受“水门事件”影响的尼克松，被阿拉伯国家联手对付美国所弄出的“石油禁运”搞得焦头烂额，狼狈不堪。当时，几十年来已经习惯没有汽车就无法生活的美国人，因为汽油紧缺，不得不整天在加油站里排队等候，所有生活的节奏和奢侈的愿望，全被这“可恶的石油”拖垮了。用美国人自己的话说，他们已经“接近地狱并准备与死亡拥抱”了。

“全国的同胞们，姐妹兄弟们，先生们，女士们：今晚，我要向你们谈谈在今后的岁月中我们必须共同面对的一个严重问题——能源问题……”11 月 7 日晚，尼克松总统不得不带着忧伤的表情，以低沉的语气，在电视里向全国公众发表讲话。

“他的每一句话，就像教堂里的丧钟，敲得我们心里发慌。”美国人这样形容尼克松那晚的讲话。

……最近几个月来，我们已经采取了许多增加供应和减少消费的行动。但是，即使我们做出了最大的努力，我们知道出现暂时供应不足的情况仍是不可避免的。

不幸的是，由于最近的中东冲突，我们今冬的期望现在已经无法实现。由于这场战争，大多数中东产油国减少生产，并且停止向美国运送石油。到本月底，我们期望输入美国的每天 200 万桶石油将要落空。

因此，我们必须面对这个明显的事实：我们正在走向自第二次世界大战以来最严重的能源不足时期。今冬我们的石油供应将至少比我们预料的需求缺少 10%——而且可能缺少 17% 之多。

……眼前的不足将影响我们每个人的生活。

在我们的工厂、我们的汽车、我们的住宅、我们的办公室里，我们将必须把燃料的用量减少到我们习惯的用量以下。一些学校和工厂的时刻表可能要重新安排。一些喷气飞机班次将要取消。

燃料危机不一定意味着每个美国人真正受到痛苦。但是它将要求全体美国人做出一些牺牲。

为了帮助我们履行这个责任，今晚我宣布如下步骤：

第一，我将指示使用煤——这是我们非常富庶的资源——的工业和公用事业在最近的将来不要改用石油……

第二，我们将减少配给飞机的燃料数量……

第三，向家庭、办公室和其他机构供应的取暖油大约将减少15%。当然，为了使整个冬天有足够的用油，我们大家必须在较低的温度下生活和工作……

第四，我已经指示将联邦政府办公室的白天温度立即降到65～68华氏度。此外，我已指示联邦政府拥有的一切车辆——共50万辆——除了紧急情况以外，每小时的车速不得超过50英里[①]……

……所有这些行动都将导致节约大量能源。不仅如此，其中大多数行动都是现在就可以采取的——而不必再拖延。这些行动成功的关键不在华盛顿，而在于全国每一个家庭和每一个居民区。如果我们每一个人都参与这种努力，那么这场战争就已经打赢一半了！

“战争！这是战争动员！”美国人听完总统的电视讲话后，几乎异口同声地惊呼起来。因为即使是在二战中，罗斯福总统也没有用这样的语气跟全国人民说过这种紧迫现状。美国人心里都很清楚，总统说的要求减少10%～17%的用油量，其实真正要求国民减少的用油量绝对是这个数字的一倍以上。20世纪70年代的

① 1英里=1.609 34千米。

美国人没有了石油供应，就像今天我们中国人一下没了手机或者今冬许多地方被冰冻阻断交通一样，谁都会跳起来叫喊“没法生活”“没法过年”。

其实，美国人的石油危机是美国人称霸世界的恶果所致。

20世纪70年代初，美国人为了石油插手中东，由于它选择了用以色列来破坏和颠覆阿拉伯世界的错误战略，结果导致了一次次阿拉伯国家和伊斯兰世界的愤怒，以致战火燃遍了这块地下蕴藏丰富石油资源的沙漠地带。1973年10月6日下午2时许，这一天是犹太人节日中最重要和最神圣的“赎罪日”，正在祈祷的以色列人没有预料到，此时此刻正有222架埃及战机呼啸着奔向苏伊士运河东岸和西奈半岛的以军阵地。与此同时，3000余门大炮也沿着埃以交界的前线阵地齐声开火……在以色列的北部，叙利亚的700门大炮也同时以排山倒海之势，向以色列境内倾泻着炮弹——这就是著名的“十月战争”，或者叫“赎罪日战争”。其战争的结果是美国的盟友以色列差点受到毁灭性的打击。阿拉伯国家从“十月战争”中更加坚信了“美帝国主义没有什么了不起”的信念。

以色列要复仇！美国人自然咽不下这口气——因为埃及和叙利亚用的武器几乎都是来自苏联。而更重要的是，不把仇视美国的阿拉伯世界压下去，中东国家高举的“石油武器”将彻底粉碎美国称霸世界的美梦！

复仇开始了：美国空军在短短几天内向以色列军队运送的军事物资达32210吨，是苏联援助阿拉伯世界的5倍之多。

打击以色列的“领头羊”——埃及总统萨达特感到了吃紧，最后不得不向美国求和。与此同时，这位阿伯拉国家领袖也在悄悄拿起另一张“王牌武器”——石油，与美国人作“决战”。后来证明萨达特是成功的，他拜访了一向与美国关系不错的沙特国王——比起同美国人的关系，萨达特与沙特国王的关系要“自家兄弟”得多。紧急关头，费萨尔国王向萨达特伸出了橄榄枝。

“美国如果不改变中东政策，继续站在以色列一边，我们的关系就无法正常，因为你们会让我们与阿拉伯兄弟们无法相处。”费萨尔国王在行动之前希望得到美国人的理解，或期待一种双方都不伤和气的办法。但高傲自大的美国人并没有在意费萨尔的一片苦心，一位美国记者竟然还在沙特国王的特使面前口出狂言道：“我们不需要你们的石油，你们自己可以将它喝了！”

费萨尔国王终于愤怒了，命令他的石油部长：“干吧！”

沙特国王要“干”的，就是阿拉伯国家对付美国唯一最有可能赢得主动权的武器——石油。

这个武器比原子弹和大炮要简单得多，原子弹和大炮美国人根本不怕，可阿拉伯的石油武器，让美国人无比恐惧。

10 月 16 日，以阿拉伯石油国家为主体的欧佩克海湾成员国的石油部长集合到科威特的一家饭店，几小时后，他们向全世界宣布了一项决定：从即日起，沙特、伊朗、伊拉克、阿联酋、科威特和卡塔尔，将石油出口价从每桶 3.11 美元提高到每桶 5.119 美元，同时削减原油产量的 5%。这项决定的后面还附加了不少条件：那些支持阿伯拉世界反对以色列的国家、非洲国家及没有石油资源的阿拉伯兄弟国家都将仍然享受 100% 的“最惠国”待遇；对美国等直接支持以色列对抗阿拉伯世界的国家将全面实行石油禁运，即不向这些国家出口原油。

1973 年的冬天，对美国人来说是个恐怖的岁月。阿拉伯的“石油禁运”获得了空前胜利，给美国经济和政治所带来的振荡也是空前的。“石油禁运”实施后，一些阿拉伯石油输出国不仅将产油量减少到了 20% 左右，而且在这年 11 月，6 个海湾石油输出国又将石油出口价由每桶 5.119 美元，一下提高到每桶 11.651 美元。

用油最多的美国和日本这下可惨了！那个时候的石油虽然比起现在每桶90～100美元的价格来说，确实低得多了，可如果换到现在，石油一下涨4倍，我看我们中国人一定也会彻底瘫倒在地的。

日本也是1973年“石油禁运”中深受其害的国家之一，当时的首相大平正芳还带头穿起了“节约能源装”——短袖西装，虽然这种为了尽量少使空调的短袖西装并没有流行起来，但整个日本的节能意识在此次“石油禁运”的国际背景下，获得空前提升。

可以想象那些日子里，美国政府真是急红了眼。一提到“石油”二字，什么办法他们都想了。就连对此前几十年老死不相往来的中国，也开始“热乎”起来。

中美初期的接触与建交前后，美方一直是借“支持”中国打击苏联的“好意”，来争取得到中国石油，从而达到减少它自身能源压力的目的。而中国则利用“美国牌”争取更广泛的国际地位，同时利用西方技术和资金优势为自己的四个现代化目标服务。

这，就是大国间的政治与外交。有些事心照不宣最微妙。

但美国人有时并不太懂得具有五千年文明史的中国人处事技巧之高明和娴熟。“山姆大叔”的做法通常是先绕大弯，到后来则直截了当得连起码的“拐弯抹角”都不用了。1977年8月，卡特政府的能源部长施莱辛格代表卡特总统向中国政府发出邀请石油公司代表团访美一事，就属于这种“直截了当”，甚至有些单刀直入。

在当时中美还没有建交的情况下，为什么卡特政府会选择敏感的石油作为打开与中国合作之门的钥匙，并在此问题上那么“友善”呢？我们看一看施莱辛格在美国政府里的角色转换，便能略知一二：

施莱辛格是位哲学博士，著名的经济学家。尼克松当总统时将他从兰德公司调到联邦预算局，接着尼克松又让他当了原子能委员会主席，然后又任命他为中央情报局局长。基辛格当国务卿时，施莱辛格是美国的国防部长。然而人们发现，这位国防部长不是一有空就去检阅他装备精良的陆战队，而是经常在周末或星期天的早上，独自在华盛顿周围的乡下，手拿望远镜观赏那些叽叽喳喳的小鸟……

“他是一位从国家安全角度考虑经济问题的专家”，美国人这样评价施莱辛格，并称他是兼收并蓄的、责任感极强的、典型的具有“知识分子的热忱与道德激情的人”。施莱辛格的国防部长一直任职到福特时代。而当时，作为国防部长的他，对在外交上独掌天下的基辛格是有看法的。

1977 年卡特当上美国总统，能源问题仍然是白宫的首要问题。有一天卡特在与老资格的参议员杰克逊谈起这一问题时，杰克逊对卡特说：“总统如果想在能源问题上不重蹈尼克松的覆辙，施莱辛格是您最好的帮手。”就这样，前任总统的国防部长当上了卡特的能源部长。

其实，卡特用施莱辛格的原因除了要仰仗杰克逊在国会独霸的能源权威影响外，还有一个特别重要的内因：卡特和施莱辛格的政治背景都与美国“石油王国”洛克菲勒家族相关。如果没有洛克菲勒家族的大力扶持，卡特这位南部佐治亚州的花生种植小农场主想当上总统，几乎是永不可能的事。美国政坛的人都知道，1973 年，美国金融巨头——大通曼哈顿银行董事长兼总经理、老洛克菲勒最小的孙子戴维·洛克菲勒主持成立了一个“三边委员会”，并相继在纽约、巴黎和东京设立了三个总部。这个被称之为美国“影子政府”的“三边委员会”的任务，就是加强北美、欧洲和日本之间的合作，研究重大问题，并向白宫提出相关政策。由洛克菲勒基金会与福特基金会向这个“三边委员会”提供资金。这个委员会共有 200 多人，他们都是美国各界的精英。当时经“三边委员会”组织者之一的布热津斯基推荐，“三边委员会”主席戴维·洛克菲勒批准，无名小卒卡特成为这个委员会的成员，花生种植小农场主卡特由此成为美国政坛强人。1977 年卡特当上总统后，任用的政府权力人物中有 16 人来自“三边委员会”成员。其中布热津斯基当了总统国家安全事务助理，卡特的国防部长布朗也是“三边委员会”成员。如此多的“三边委员会”成员组成的卡特政府，自然对能源问题格外看重。除了背后有洛克菲勒家族这个“石油王国”在操纵美利坚合众国外，当时卡特从福特手中接过的白宫政府，正如他在上任后不久首次就能源问题发表全国讲话时所说的那样：“我国在我们这一生中行将面临最大的挑战……唯有做出痛苦的牺牲，才能防止发生一场全国性的灾难。”

“作为世界上最发达的国家正在被一些沙漠国家作弄，是件极为可恶的事情！”卡特和施莱辛格对中东国家所采取的能源政策的看法是一致的，而他们非常清楚这背后是苏联人在捣鬼。

“所有一切的表现是通过欧佩克达成的！”卡特对这个以阿拉伯国家为主导的石油输出国组织恨之入骨。但恨归恨，国内所有加油站前那长长的排队现象如何解决？美国的石油出路何在？

在中东？！这事自然需要更进一步与那些沙漠国家较量和周旋。卡特说，这件事由我亲自来做。

在亚洲？没有多少外交经验的卡特，只能根据智囊团提供的参考来决策：主要是动员中国加入世界能源的战争。“想必博士不会比乔治·基辛格做得差。”卡特对自己的能源部长说这话，是想鼓励施莱辛格同他一起效仿尼克松与基辛格打的“中国牌”。

“谢谢总统先生，我会很好地按照您的指示尽快与中国方面取得联系，是否可以考虑先请他们派个石油代表团过来考察？中国是个政治非常敏感的东方社会主义国家，在我们两国还没有建立外交关系之前，我们还是先让他们看看我们的石油工业，这样也许会触动他们的领导人做出某些政策上的改变。另外，我想中国人不会太喜欢我们用的‘能源战争’一词，所以我想改为……”

“孔子的哲学讲求道义与礼教，是否我们可以用‘道德上的战争’一词？”卡特敲了敲高高突出的额骨，询问自己的能源部长。

施莱辛格连声说道：“好个道德上的战争！当今世界上的能源战争实际上就是一场没有动用枪炮的道德上的战争。”

4月份，施莱辛格穿着开襟羊毛衫，面对美利坚合众国全国公众发表了“炉边谈话”，第一次介绍了他的能源计划，并第一次将美国当前所面临的能源危机称为“一场道德上的战争”。

作为“道德上的战争”的一部分，施莱辛格在这年7月，通过中国驻美联络处主任韩叙，向中国政府发出了邀请石油代表团访美的私人函，这就是秦文彩他们后来成行美国考察的起因。

在中美两国尚未建立外交关系的时候，美国政府如此热情邀请和热情接待中国石油公司代表团，这在当时的中国方面有不少传闻和猜测，多数意见认为这是美国拉中国一起对抗苏联称霸的战略需要，但大家却对美国人自身面临的能源压力了解不够。其实，美国拉中国加入“道德上的战争”，最主要的目的还是想减少自身的能源压力，当然也有其全球战略的考虑。因为就在这个时候，卡特政府碰上了一件比当年“石油禁运”更为“复杂和险恶的事”，即伊朗的“伊斯兰革命”。

伊朗是中东地区的实力派国家，同时又是世界最重要的产油国家之一。这个伊斯兰国家自从巴列维成为国王后，一直采取的是亲西方的政策，加上美国在中东地区的挑拨离间起了作用，巴列维国王在伊朗国内不断推行西方的所谓“自由”“民主”和“人权”，允许言论自由和各种反对派组织的合法活动，同时又对伊斯兰什叶派原教旨主义者采取镇压的态度，结果导致后来霍梅尼上台、统治三十多年的巴列维国王倒台的“伊斯兰革命”。

卡特政府是这场“伊斯兰革命”的最大输家，因为在这场影响深远的伊斯兰革命中，卡特政府以为亲美的巴列维政权不可能很快被流亡在伊拉克的一群极端宗教派所推翻，于是从革命开始到最后阶段，美国所采取的是一面倒，即坚决地支持巴列维国王的态度。然而，卡特彻底低估了狂热的伊斯兰宗教力量，几个月后，霍梅尼成了德黑兰的主宰者。伊朗从此成为中东地区美国最直接和最坚决的反对者，一直到今天最敢与美国叫板的还是伊朗人。

美国在伊朗问题上的这场 1978 年的“道德上的战争”输得极其惨痛，其结果是：伊朗全面停止石油出口，世界油价又一下涨了 20%！

美国人再次饱受“石油之苦”，1978 年的圣诞节，许多美国人连汽车都开不起来，街头冻死的失业者不计其数……于是白宫的“山姆大叔”们想到了东方，想到了中国，连无比傲慢的海湾、埃克森、菲利普斯等知名石油公司的巨头们也都一改往日风度，拉下了脸皮，堆满笑容地出面迎接秦文彩他们这些穿中山装的“中国石油公司代表团”……

第四章　北京百姓惊呼：怎么一下来了那么多高鼻子、蓝眼睛……

"忙！第二个字还是忙！"秦文彩说，自从"3・26"人民大会堂的那次汇报会后，他和石油部主管海洋石油对外工作的张文彬副部长等"海洋组"的同志，每天十几个小时的工作时间还嫌不足。"白天上班时间不用说有多忙碌，而晚上你也没有多少休息，因为我们每天都要与欧美国家的石油公司取得联系，我们的夜里，正好是他们的白天，有些事就只能等到半夜去处理……"秦文彩说。

1978年的中国北京是什么情况？我们许多过来人都非常清楚：你要打一个长途电话，就必须到复兴门东边的长途电话局去排队，一个电话等上三四个小时是常事；你若想拍电报，就得去西单长安街的电报大楼等候。石油部对外联系的都是国际电话、国际电报，等候的时间就更长了。那时能打国际长途的全国只有北京和上海两个城市。石油部与西方国家的石油公司合作在海上钻井，如果要打一个国际电话，先得通过电报打到陆上的北京或上海，然后再转香港线路，才能再转到某个国家。这还不是特别难的问题，让秦文彩和石油人感到伤脑筋的是：在与"资本主义国家"打交道时，许多时候你必须得通过上面一道又一道的机关审批，你还得等待外交部，甚至是国家安全局的批文。"但所有这些等候和审批，我们都认为是必须和无条件的。我印象非常深的一次是给某国际公司发邀请，光跑批文就走了十多个部门。那时我们没有怨言，因为大家心里都清楚，这是代表国家在对西方世界进行‘有礼有节’的合作与斗争，是摸着石头过河——这河水到底有多深，谁也不知道。我们所知道的一点是：弄不好会淹死人，所以尽量小心谨慎为妙。”秦文彩回忆起那段往事，苦笑着说。

中国对外开放的门户稍稍露出一条缝隙，西方世界便蠢蠢欲动，甚至欢呼万岁。当时中国的石油人并不清楚一个时代背景：在以美国为首的西方世界同阿拉伯国家展开“石油战争”后，连续几次的“禁运”和蹦跳式的石油大涨价之后，那些依赖石油进口的发达国家越来越意识到石油短缺对自己发展的威胁，于是全球性的石油勘探热在很短时间内便风风火火地掀起了。“至1978年，几乎所有的石油勘探设备都被租用出去了，并且越来越多的资金在后面等待着新一轮的投入。”一位石油经济评论家当时这样指出。

海洋面积约为整个欧洲大陆面积两倍的中国要开放海洋石油勘探市场，这个消息无疑让拥有先进技术设备和雄厚资金的西方国家极度兴奋。当中国石油公司代表团还在美国访问时，欧洲石油界就在每天收集相关的情报。最后他们获得的结论是：东方大门正要打开，谁争取到在中国“处女海”的石油勘探开发权，谁将在20世纪后二十年，甚至在21世纪前五十年称雄世界。

1978年6月，夏季的第一丝热风刚刚吹进北京城，一个庞大的法国石油代表团来到了北京，团长是法国政府能源司司长卡卜隆。

“他们怎么来了？我们可没有向法国石油公司发邀请呀！”那天，张文彬把外交部通知他第二天去会见法国石油代表团的事告诉了秦文彩，秦文彩也觉得很奇怪。

张文彬笑了，说：“人家法国和我们有外交关系，他们可以直接通过外交部来华嘛。”

原来如此。

此时的秦文彩，有股突如其来的凉爽感：看来国门一开，景象万千！

这不，卡卜隆率领的法国石油代表团刚刚离开六铺炕的石油部大楼，外事部门又匆匆跑来告诉秦文彩：明天李先念副主席要在人民大会堂会见美国大西洋里奇菲尔德石油公司董事长安德森，要我们石油部去陪同会见。

美国大西洋里奇菲尔德石油公司可是美国著名的石油公司，我们给他们的邀请信还没有发出去，他们怎么就来啦？秦文彩越发糊涂了。

外事部门的同志笑着说："人家是以美国人文协会代表团的名义访问中国的。"

又一个"原来如此"！不过，让秦文彩越来越明白的是：西方国家对与中国的合作比我们中国人还着急。当然，人家是资本家，哪里有钱赚，肯定削尖脑袋来钻嘛！

效率——一个新词深深地印在秦文彩的脑子里。外国人是特别讲究效率的，相比之下，我们中国人办事的效率差矣！难怪康世恩副总理一再对石油部的人讲：一天要干一个月的事！

第一批邀请国外石油公司访华的名单被确定，并且很快通过外交途径发出邀请。这一发不要紧，接下去的日子里张文彬和秦文彩等石油部"海洋组"的工作人员便像进了高速路，想停下歇口气都困难……

美国宾斯石油公司董事长利特克是布什的老朋友，在秦文彩他们访问美国时，他就在布什的家宴上与中国石油人有过交往，自然他是最先被邀到北京的第一位外国石油公司的客人。

"我们愿意同贵国同行进行风险合作，可以先在你们的海上搞物探。"利特克有备而来，在会见张文彬时就提出了自己的设想。

海洋石油勘探和开发的第一步与地面工作一样，弄清海底世界的地质构造是最重要的，物探必不可少。张文彬十分清楚利特克提出先摘物探的意义。“非常感谢，我们会优先考虑阁下的建议。”张文彬回答道。

军人出身的张文彬仿佛是个老练的外交家，有礼有节地接待每一个外国石油使团。除了国家与国家之间的外交需要外，有一点张文彬和秦文彩心里都清楚：一个著名的国际石油公司所拥有的资产，几乎是中国石油部整个资产的几倍、几十倍！海上石油勘探开发，是扔钱的大窟窿，没有足够的资金，想都别去想。

中国对外开放，说穿了，就是要利用国外著名企业和财团的资金，为我国“四化”建设服务。开放，目的就是引进资金和技术。中国有人、有资源，也有精神，但没有钱，也缺技术装备。

“什么叫如饥似渴？”秦文彩说，“当时我们中国为了迎接四个现代化的建设高潮，全面开展海洋石油勘探工作，对引进资金、引进先进技术的渴望，就像烈日炎炎下在长安街上走了几里路期待喝上一瓶可口可乐一样！”

但那个时候，中国人还喝不起可口可乐，只能喝凉白开、大碗茶。然而，那些有钱、有技术和设备的外国公司老板们还是蜂拥而至，一时间，北京饭店的房间差不多全被那些高鼻子、蓝眼睛的外国人占据了……

出什么事了？怎么一下子全是外国人呀？家离北京饭店近的那些居民们万分惊诧，他们像看马戏团似的，从白天到晚上都有人跑到北京饭店的门口，观看那些高鼻子、蓝眼睛的外国人。年轻人对那些高鼻子、蓝眼睛的人穿的西服感兴趣，上年纪的人也有过来围观的——20 世纪五六十年代的北京人见过苏联人，却很少有人见过美国人。

那时北京能让外国人住的地方，也就是北京饭店。老百姓想进饭店去溜达是不允许的。

“我们能进进出出北京饭店，在市民们的眼里是非常值得羡慕的！”当年参与接待工作的一位石油部“老外事”很得意地告诉我，曾有个北京小青年想请他将自己带进饭店去“见见世面”，为此愿意送他一瓶茅台酒。“那时一瓶茅台酒是六七块钱，但就是这样我也无法带他进去。我们有纪律。”这位“老外事”说。

1978年的北京夏天，异乎寻常的炎热。自从邀请函发出后，美国的联合石油公司、埃克森石油公司、莫比尔石油公司等20多家著名石油公司纷纷涌向北京，一个比一个急于同秦文彩他们商谈合作事宜。

“北京饭店后来住不下了，我们只能让有些外国公司的团队住到钓鱼台国宾馆去，有的甚至安排到颐和园内两座古老的小院子里。当时北京就没有几家像样的饭店，此外我们还要考虑不能让外国同行私下串通，所以尽量让他们分开住。有个代表团被安排在圆明园西边挂甲屯的一个小院子里。对那些‘老外’谈判对手，我们起初还怕他们不高兴，哪知这群‘老外’见了有山有水的颐和园，高兴得手舞足蹈，连声称赞我们‘照顾周到’，是‘中美友谊的象征’。”秦文彩说，“当时的北京饭店没有空调，一到会谈时，外宾们个个都西装革履，可会议没开几分钟，他们全都大汗淋漓，又不敢说什么。最后还是我们穿中山装的张文彬副部长先把自己身上的外衣一脱，对‘老外’们说：‘天太热了，你们可以把西服脱掉，这并不影响我们之间的友谊和礼仪嘛！’‘老外’们一听，顿时如释重负，纷纷脱下西装，并笑呵呵地私下称许：原来共产党的官员也很灵活、机智嘛！”

会谈，一次又一次；条件，一个又一个地商洽……6月中下旬至7月、8月的整个夏天，张文彬和秦文彩等中国石油部“海洋组”的同志们，几乎天天马不停蹄地在与高鼻子、蓝眼睛们周旋与谈判。这中间，有争吵，有握手，有私下喝咖啡时达成一件在会谈桌上争执几天没有谈成的细节和条件的，有散步时东一句、西一句的闲扯使各自从“死对头”变成了朋友的。总之，国门开启后的第一次中西方石油界的接触是有益的，彼此都得到了空前收获。

8 月下旬，张文彬与秦文彩商议：可以把第一阶段会谈的成果向中央报告。“趁‘老外’的热情高涨，我们应该同他们签上几个合作协议。”“石油师”老政委扇着黑色纸扇，命令自己的老部下：报告写完后先送到两位老部长那里。

“是，我先起个草，最后你来定稿！”秦文彩把任务接了过去。他知道，报告应先送到余秋里、康世恩手中。

1978 年 8 月 12 日，一份以石油部、外贸部和外交部名义向国务院上报的“油外字 400 号”请求报告这样写道：

国务院：

根据中央领导同志对今年赴美石油公司代表团汇报的指示精神，6 月份以来，石油部先后与法国、日本、意大利、美国等外国公司就海上石油勘探开发问题进行了接触。在接触中，我们谈到商洽合作形式，以及邀我考察和代我培训人员问题。在与美国宾斯石油公司的接触中，了解到世界有关海洋石油勘探开发的合作形式，主要有联合经营、风险合同、总承包、单项承包、支持服务等五种。目前采用较多的是风险合同，内容是：勘探如失败，所有费用由外国公司承担；若勘探发现油田，除须偿还全部勘探费用外，还要付给外国公司补偿费。以宾斯公司举的实例测算，每年从生产的原油中拿出 28.5% 给外国作为补偿费，并连续给 15 年。至于具体补偿费数，外商称还可再谈。

我们认为，我国南海珠江口盆地，面积广、水深、风险大，勘探程度低，如果把从海南岛到香港的 14.5 万平方公里的南海海域分成四十八块，分散挑出十到二十块，和美国等几家外国公司搞风险合作，则有利于我们利用外国公司的技术、装备，加快勘探开发海上含油有利地区；可为我们提供大规模勘探开发大陆架石油资源的系统经验、技术、装备以及所需的资金。为此，我们拟先同美国宾斯公司就风险合作条款问题进行探讨。同时，要多选择几个国家参与竞争。至于补偿费的比例和期限，摸清各家的报价后择优签约。

关于考察培训问题，在一般情况下我们准备接受邀请，派专业人员前往。费用问题，可在合同内一并解决。

妥否，请指示。

报告发向中南海后，秦文彩和张文彬还拿过存稿看了又看，觉得这份报告把该写的都写进去了，而且还包括了从我方利益出发欲与外国进行的合作设想，可谓万无一失，中央一定会全力支持并会满意的！他们甚至如此大胆地估摸着。

秦文彩则对参与同外国谈判的同事们说：趁中央的批示还没有下来的几天时间，大伙儿好好调整调整，准备迎接更繁重的任务！

“好嘞，这些日子光陪‘老外’吃西餐了，把我的胃都搞坏了，我得回家让老婆多给我弄点酸汤面调剂调剂！”有人乐呵呵地说。

时间过去大约一星期，张文彬办公室来电话：“文彩，老部长们有话了，你快拿文件去看。”

“怎么啦？他们有不同意见？”秦文彩听老政委的口气很沉重，忙问道。

“看了文件再说吧。”

秦文彩立即找来文件一看，“当时真像当头挨了一闷棍！”秦文彩回忆道：“我们原先以为余、康二位副总理肯定同意我们马上抓紧时间与‘老外’签约，在这之前，康部长不是还对我们说过，要一天干一个月的事。我们觉得经过两个多月与那么多外国公司进行谈判等大量工作，‘老外’又表现出了极高的热情，我们一定要抓住机遇，迅速把海上石油勘探开发的对外合作搞起来，尤其是我们在报告里说得非常清楚，也可以说是考虑得已经十分周到，比如先以美国一家宾斯公司做试验，等第一个合作成功了，就全面铺开。哪知余、康二位老部长的批示竟然是一盆凉水……”

余、康的批示是什么呢？

他们在石油部的报告上这么批示道：

关于和外国公司搞合作，开发海上油田的办法，现在还处于初期接触阶段。还需做更多的调查研究。合作方式将有多种多样，暂不宜过早定死。可广泛接触，各种方式均要摸一下，然后选择最好的方式，再报国务院审批。

“前些日子还让我们一天要干出一个月的事，怎么转眼就来个‘暂不宜过早定死’？”

“是嘛，我们的调查研究已经够深入的了，谈了那么多公司，而且是几乎把国际上‘老外’进行海洋石油勘探开发的惯例都摸得差不多了，才确定的方案嘛！”

二位副总理的批示传达后，“海洋组”参与谈判的人一时转不过弯。老实说，连张文彬和秦文彩也心里直犯嘀咕：一向办事果断的余、康也不是这种风格嘛！对外合作是中央“3·26”会议上已经定下的方针，而且具体步骤也基本上是按他们二位老部长的意思行动的，怎么忙活了半天会是这种结果呢？

想不通！至少一时想不通。

此时，石油部为了加快海上石油的勘探开发，成立了中国石油天然气勘探开发公司，专门负责对外合作工作，由副部长张文彬亲自出任总经理。与此同时，石油部还在天津塘沽成立了海洋石油勘探局，直属部里领导，原“石油师”一团政治处副主任马骥祥被任命为首任海洋石油勘探局局长兼党委书记。

塘沽是中国海洋石油勘探的发源地，1966 年 1 月 7 日，石油部就在此成立了海洋勘探指挥部。十几年来，中国的海洋石油勘探一直在艰苦中摸索和进行着，由于技术和装备能力尚没有达到一定的水平，所以渤海湾的海上石油成果进展不大，现在石油部借对外合作的东风，准备在此大干一场，塘沽再次成为中国海上石油勘探的大本营。张文彬自然忘不了用自己最得力的“石油师”干部作为即将拉开的“海洋之战”的指挥官。与马骥祥搭手的是共和国最早一批从事海洋石油勘探工作的行家钟一鸣。

“太落后了！”

这年 5 月，张文彬带着行将上阵的马骥祥来过一次塘沽海洋石油勘探大本营，这位“石油师”老政委看着自己队伍所用的那些笨拙而简陋的海上钻探设备，万分感慨地叮咛老部下：中国海上石油的水平，至少落后先进国家几十年，落后并不可怕，可怕的是思想落后。所以，中国海洋石油的前景如何，首要任务是看我们搞石油的人能不能在思想上解放。如今中央大政方针已定，中国海洋石油工作成了国家对外开放的尖兵，做好做不好影响深远。而同外国人打交道，同资本家合作又是头一回。我们只有披挂上阵，尽量把能考虑到的事都考虑好，这样才能打好对外开放之仗！

“请老政委放心，我们一定全力以赴！”马骥祥向张文彬立下军令状。

“好！现在就给你一个字：快！北京的秦文彩他们与国外公司的合作协议一旦签下来，你这里就会有千军万马的各路队伍到海上来作业，所以必须从现在开始立即行动起来，干什么事都要求个快字！不快就会影响大局……”

“是，我们坚决按照老政委的指示办！”

马骥祥的回答令张文彬十分满意。从渤海湾回来，张文彬就一头扎在与秦文彩一起接待外国公司的工作里，并如旋风般进行了两个多月马不停蹄的、各式各样的会见和谈判。除了谈判和会见外，其实这一段时间里，张文彬一直在布置整个南北海域的海洋勘探队伍的相关工作，用他自己的话说：“就是大庆会战时，我也没有这么紧张和忙碌过！”大庆会战时，张文彬是余、康的副手，现在海洋石油勘探开发战役，他张文彬是“总指挥”。一切步骤都得他拿主意，自然忙碌的程度会大不一样，尤其现在是与外国人打交道，任何一点点的遗漏和疏忽都可能导致国家利益严重受损。

“马虎不得！如履薄冰啊！”年过半百的张文彬每每在自己的部属面前，一边抽着烟，一边自言自语地笑着说这句话。

那几日，参与谈判的同志们对余、康的批示有不理解的情绪，牢骚话说了一大堆。张文彬听后很着急，其实他内心也是很不理解的。但作为石油部与“老外”打交道的“总指挥”，他深知在这个关键时刻自己必须保持头脑清醒。

张文彬找来秦文彩商量对策，以便做好自己队伍的稳定工作，眼下还不能得罪那些“老外”。

秦文彩是个足智多谋的人，同时对政治动向非常敏感。一天，他拿着一份报纸对自己的老政委说，我们这段时间光埋头在饭店与“老外”谈判，不知外面发生了什么事。

张文彬问：“外面发生了什么事？”

秦文彩说：“检验真理标准的讨论比前一些日子更激烈了，……这个问题牵涉面很大，连我们搞对外合作也受影响。”

“这是咋说的嘛！”张文彬有些起急。

秦文彩朝他摆摆手，随即拿出一张《人民日报》，上面有邓小平视察东北时的讲话。秦文彩的脸上闪着光芒，给张文彩念了起来：

怎么样高举毛泽东思想的旗帜，是个大问题。现在党内外、国内外很多人都赞成高举毛泽东思想旗帜。什么叫高举？怎么样高举？……毛泽东的基本观点就是实事求是，就是把马列主义的普遍原理同中国革命的具体实践相结合……

“对啊，小平同志说得对！现在我们与外国公司对外合作还处于半保密状态下，已经有人开始说些风凉话了，如果一旦公开到社会上，我估计说我们背离毛泽东思想、与外国资本家打得热火的风凉话可能就更多了！”张文彬突然情绪激动地挥舞着双手，仿佛一场暴风骤雨即将来临。

伏在桌子上的秦文彩眼睛盯在报纸上，用右手做了一个手势，示意老政委情绪稳定下来，说道：“快看看这段小平同志的话，对我们太重要了。”

经过几年努力，有了今天这样的、比过去好得多的国际条件，使我们能够吸收国际先进技术和经营管理经验，吸收他们的资金。这是毛泽东同志在世的时候所没有的条件。外国人也可能骗我们，也可能欺负我们落后。比如，一套设备，给你涨点价，或者以次充好，都是可能的。但是总的来说，我们有了过去没有的好条件。如果毛泽东同志没有说过的我们都不能干，现在就不能下这个决心。在这样的问题上，什么叫高举毛泽东思想的旗帜呢？就是从现在的实际出发，充分利用各种有利条件，实现毛泽东同志提出、周恩来同志宣布的四个现代化的目标。如果只是毛泽东同志讲过的能做，那我们现在怎么办？马克思主义要发展嘛！毛泽东思想也要发展嘛！否则就会僵化嘛！

“是邓小平说的话吗？”张文彬兴奋地凑到秦文彩的身边，抢过报纸要看。

“当然是他的原话！你看看最后一段。”秦文彩指了指报纸的左下方。于是张文彬一字一句地念着：

什么叫高举？这是我们要回答的问题。现在中央提出的方针、政策是真正的高举。下这样大的决心，切实加速前进的步伐，是最好的高举。离开这些，是形式主义的高举，是假高举。

“痛快！小平讲得深刻而明了！文彩，依我看，我们在党中央和余秋里、康世恩二位老部长的直接领导与指挥下，同外国人搞海上石油勘探开发合作的方向没有错，确实是坚持了党的实事求是的路线。这个道理并不复杂：因为我们没有钱，没有经验，从这个实际情况出发，在中央的统一部署下，有条件地与‘老外’谈判合作，最终实现把我国的海上石油工业发展起来，为四个现代化服务，我看这就是高举毛泽东思想伟大旗帜嘛！”张文彬两眼闪闪发光地询问自己的战友。

“而且是真正的高举毛泽东思想伟大旗帜！”秦文彩回答得更加肯定。

“那我们就什么都不怕了！该干什么还干什么。”张文彬突然话锋一转，“我看我们要正确领会余、康二位副总理的批示精神。这一段时间，我们接待了那么多外国公司，头脑有点发热，加上外国公司那么争先恐后地要与我们合作，于是便急于想签订几份合作协议。动机毫无疑问是对的，可对外合作这么大的事，国家是第一回，我们石油人更是第一回，要慎之又慎。因此，余、康副总理要求我们多搞调查研究，多摸摸各种方案，是很有道理的。毕竟一方面我们在与外国公司合作方面是外行，另一方面国际合作开发石油项目的形式花样也多，不摸透、熟悉所有情况，我们肯定会吃亏。”

“我同意你的分析。吃点亏，中央能谅解我们，但大亏我们绝对不能吃，因为这不仅仅是国与国之间的买卖问题，而是国家的长远利益问题。”秦文彩说。

“好，我们分头做工作。”张文彬这位老将好像浑身充满了信心和力量。年富力强的秦文彩更是雷厉风行。之后的几天里，他们把参与同外国公司谈判的同志们叫过来，或单独开会，或集体开会，解说余、康二位副总理批示的深意，阐明这批示不仅非常正确，而且非常及时。“现在外国公司与我们合作勘探开发海上石油的事，他们很着急，我们自己呢也很着急，但两者之间的着急出发点不一样。他们着急，是想早点进入我国，早点赚钱。我们着急是怕失掉机遇。人家虽然着急，可谈判时他们懂行，我们着急，但对国际合作谈判是外行。同在着急之中，吃亏的是谁？肯定是我们呗！大伙想想是不是这个理？所以余、康副总理的批示既及时，也非常正确。”

“这么一说，我们想通了！没说的，大方向你们领导把握着，你们怎么说我们就怎么做！”

“对，下一步怎么办？我们等待接受任务呢！”

张文彬和秦文彩看着自己这支政治头脑始终清醒、工作精神始终饱满的战斗队伍，脸上露出了自豪的微笑，同时内心也深受鼓舞。

“好，下面我布置下一步的行动。”张文彬硬朗的身板站直了，挺起胸膛，像当年命令他的千军万马，“报中央批准：一、立即派出不同层次、不同规模的考察团，带着不同的考察任务到不同国家进行新一轮的考察；二、考察的对象既包括美国、英国、法国、挪威等石油技术发达的国家，也包括巴西、科威特、喀麦隆、伊拉克这些发展中国家……”

“了不得！这回我们石油部上上下下都得动起来了！”

“哈哈哈，我们都要出国啦！”

“这回我孩子嚷嚷的‘三大件’有着落了！”

私下里，石油部机关的工作人员皆在窃喜。那个时候，谁能出国，就是一种福利待遇。因为出国不仅可以有一些服装补贴，还发一些零花钱。多数人为了省下这些零花钱给家人和朋友们带回些外国日用品，宁可省吃俭用，吃麦乳精、饼干（那时连方便面也没有）也是常事。

然而中国的石油人对出国则抱有另外一种心情：他们知道自己是代表国家去学习、去取经、去练就本领，回来好跟外国人较量、比试——其实我们就是国家对外开放后的第一批“侦察兵”，去深入资本家的老巢，摸它的情况……

当日后部长宋振明、副部长张文彬，以及焦力人、秦文彩、闫敦实、闵豫、李天相等石油部的大员们几乎倾巢出动，各自带了代表团，组成不同任务的 9 个团队，历时半年多时间，先后访问了欧、美、非、亚等十几个国家和地区。与此同时，经国务院批准，邀请了 20 多家外国公司到北京访问，这是新中国成立后，在短时间内派出和接待人员最集中、代表团最多、频率最高的一次“走出去、请进来”的国际交往活动。

中国的石油人和外国的石油人几乎有同样的感觉：这回中国对外开放的大门是彻底地打开了！

美国的白宫、法国的爱丽舍宫及英国的唐宁街 10 号，都在异常兴奋地关注着中国在这一时间里所发生的急剧变化。

卡特总统前几天还在为伊朗国王访美时受到的抗议示威活动

愤愤不平呢！那天他在白宫草坪上为巴列维国王举行欢迎仪式，原本想借此拉回点面子，用这一仪式向自己的国民证明他的政府亲近巴列维国王的政策没有失败。结果仪式一开始便遭到巨大的抗议浪潮，白宫门前闹成乱哄哄的一团，警察不得不使用高压催泪水枪驱赶抗议群众，结果催泪水枪发出的催泪雾剂弄得国王和卡特本人都睁不开眼。

“总统的眼睛好些了吧？”那天晚上 10 时，能源部长施莱辛格突然被总统叫到白宫，他看着总统红红的眼睛，关切地问。

“不会好得那么快。”总统余怒未消地请施莱辛格坐下，然后操起电话，让中央情报局局长也马上赶到白宫来。

壁炉旁，总统一手不时捂着眼睛，一手拿起桌上的几份情报，对自己的能源部长和情报局长说：“我们今晚必须把中国的情况认真研究一下，这段时间中国石油部门正以前所未有的大动作，对世界各重要石油国家进行访问考察，这样一个‘反常’的行动背后是什么，我们要弄清楚。”

施莱辛格和情报局长的脸色立即严峻起来，他们认真听着总统的每一句话……这一夜，白宫的灯光一直亮到东方拂晓。

最后，白宫三巨头得出的结论是：中共在 1978 年底连续召开了两次重要会议，尤其是在十一届三中全会召开后，坚持改革开放的邓小平已经全面掌控了中国的最高决策权，发展经济被中共确定为全党的中心工作，所以以发展海洋石油工业为先导的对外开放将大大加快步伐！

“这是上帝恩赐的机会，我们决不能落在日本和法国的后面！”卡特向施莱辛格下了死命令，并说：“国会已经批准了我们与中国正式建交的提案，不久我将正式邀请邓小平先生到华盛顿来，我会向他重点提出石油合作的事宜。”

身材高大的施莱辛格博士听后，兴奋地在总统的椭圆形办公桌前做了一个优美的旋转动作，然后得意地说："OK，总统和我将在中国问题上，再创尼克松和基辛格时代的伟大业绩！"

情报局长则说："我会马上摸清中国石油公司代表团考察欧洲诸国的相关情况，并迅速呈报总统和施莱辛格博士。"

此刻，在大洋彼岸的中国北京，人们正在以前所未有的喜悦心情迎接新一年的到来。中国石油人感到异常振奋和受鼓舞，因为在即将过去的 1978 年他们有太多激动人心的大事件，最值得自豪的事有两件：一是石油行业成为中国对外开放的先行军；二是这一年中国原油产量突破了 1 亿吨。

中国从此真正跻身于世界石油大国之列。

第五章　政府授权：可以签约

“当！当当……”北京长安街电报大楼上的钟声，这一天敲得格外清脆和洪亮。告别具有划时代意义的1978年之后的中国人民，突然发现扑面而来的新一年的阳光和空气是那样清新与温暖……

不久前召开的十一届三中全会和中央工作会议，使久压在十亿人心口的一连串烦心、闹心甚至是恶心的事，一件件地被扔到了历史的垃圾堆里。

几十万人的“右派帽子”被摘掉了，知识分子再次成为社会中坚力量并得到应有的尊重。

涉及一大批人政治命运和全国人民感情的“天安门事件”被彻底平反，并确认为“这是一次群众性的革命行动”。于是《扬眉剑出鞘》和《人民的好总理》等诗篇再次燃起亿万人的热血与激情。

一切在“文革”中被错判、错划成“反革命分子”“叛徒”及被打倒的老干部不断地获得平反或被解放，重新走上工作岗位。

陈云、胡耀邦、杨尚昆、邓颖超等革命家进入中央领导层，这是粉碎“四人帮”后又一次让全国人民大快人心的事！

连一向说话不带修饰词汇的邓小平在这一年的1月1日，面对众多中外记者的摄像机，也举着酒杯，满面春风地说道：“毛主席在1957年就提出的那种又有集中又有民主，又有纪律又有自由，又有统一意志又有个人心情舒畅、生动活泼的政治局面，在去年渐渐形成了……”，所以，“今年这个元旦是特别值得高兴的日子！”

进入1979年，北京连续下了三场大雪，这样的雪已经好久没有了。中国有句农谚，叫作“瑞雪兆丰年”。

于是，紧张战斗在对外开放第一线的张文彬和秦文彩等石油部的人，自然是特别高兴的人群中更加高兴的一族，是邓小平和中央给了他们最有力的支持，他们已经预感到新一年的中国海洋石油事业将有伟大的突破。此时，秦文彩也被任命为石油部副部长兼外事局局长，与张文彬等一起领导和主持我国石油行业对外开放事宜。

经过为期半年多的学习与考察，中国石油人已经基本了解和掌握了当时国际海洋石油勘探开发的相关国际合作形式与方式，接下去要做的就是合作开发的先期合作项目——物探工作的合作意向书签约。

按照中国政府和石油部确定的对外合作方针，凡是想在中国获得海洋石油开发项目的外国公司，首先必须获得在中国规定的海域进行物探的项目。因为物探是海洋石油勘探与开发的技术先行，更关键的是中国政府曾有言在先：所有外国公司只有在取得物探成果后，才有可能进入下一步的实质性海洋油田开发。到那时外国公司才能真正获得赚钱的可能，或取得中国原油产出后的分成。物探合同，成为外国公司叩开中国海洋石油开发权的“敲门砖”，谁拿到了“敲门砖”，谁才有可能踏进中国海底石油世界……

竞争是激烈的，赚钱的事对所有资本家都是充满吸引力的，石油生意是所有国际巨商、石油寡头最为疯狂和钟爱的“情人”，他们宁愿争个你死我活，也不会轻易放弃一丝机会，而被任何“情敌”所击垮。

“老部长，我们马上就要出发了，您看还有什么指示？”春节刚过，张文彬踏着残雪来到康世恩的家，作出国前的请示。此次经国务院批准，石油部将派出以张文彬为团长的中国石油部代表团，远赴欧美数国，与那些有意向同中国进行先期海上物探合作的石油公司一起，完成合作意向书签约。任务繁重而特殊，是中国石油史中首次与众多外国企业签订数宗买卖合同，这样的合同与其他所有对外贸易的合同均不同，它是拿我们国土上的资源与外国公司合作开发，关系到国家利益和领土主权，异常敏感。从某种意义上讲，中国石油人是在做开天辟地的事。

外交战线有句话，叫作“外交无小事”。慎之又慎，是外交和外贸上必须遵守的纪律与原则。更何况，石油买卖影响实在太大、太深远。如果合作一旦生效，外国向中国的投资起码就是几千万美元，甚至是几亿美元；一旦物探成功投产，我们就必须让出近1/3的利益回报人家，这一回报就是十五年。十五年是个什么概念？倘若找到大油田，这十五年里中外共同开发的中国油田就要被人拿走近1/3的原油！但事情并不那么简单，海上石油勘探风险之大、投资之巨、技术要求之高，是我们中国当前所不能承受的。外国公司冒风险投入巨资进行先期工作，按协议规定，一旦未能找到油田，所有投资中国将不承担任何经济损失，仅此一条，就吓退了许多中小企业。大买卖只有大公司才能做得了，国际石油“巨无霸”们敢于同中国签约，是因为他们不怕冒那么大的风险，雄厚的资金实力和技术实力，加之海上石油勘探的丰富经验，他们才不怕“吃小亏”呢，吃小亏的目的是占大便宜！由于中国海域具有丰富的石油资源，一旦发现大油田，即使是1/10的原油回报也足够收回先期的投资，并产生丰厚的利润！

“流动的黑金是世界上最诱人、最具活力的财富，谁掌握了它，谁将主宰这个世界上的一切。”早在20世纪初时，老洛克菲勒就说过这样的话。在七八十年后的20世纪末，全球经济发展可能导致整个世界的能源危机，不但美国这样的发达国家吃不消，连亚洲和非洲的发展中国家都将为石油叫苦。国际石油大亨不为石油疯狂才怪呢！他们用大鼻子在世界每个角落不厌其烦地嗅着任何一处带油腥味的地方，中国如此广阔的海域，即使有百分之一的希望也足以让他们疯狂。

现在，中国要开放的海域可能是几个科威特、几个欧洲国家的面积……哈哈，只有傻瓜才不去争这样的东方肥肉哩！

从蒸汽机被推广到世界各地后，欧洲一直处在世界政治和经济的前沿。当20世纪石油成为全球能源动力的主体后，美国走到了世界经济的最前面。但有一点基本没有改变，欧美在技术与资金方面一直独占鳌头。当中国这头东方巨狮抬起头，说也要加入世界发展的大潮时，想抢中国这块蛋糕和肥肉的当然是欧美世界的巨无霸们。

执掌中国石油航船方向的康世恩十分清楚这一点，于是当他见张文彬前来“领旨”时，消瘦的脸上立即笑开了花，当即说道：“我代表国务院，可以给你一把尚方宝剑——可以把握时机，及时与那些适合我们的外国公司签订物探意向协议或备忘录！”

“是。”老兵张文彬从康世恩家出来的那一刻，感觉底气十足。

“文彩，家里的事全交给你了。”2月6日，春节一过，张文彬率团离开北京，临走时对秦文彩说。“放心吧老政委！”秦文彩紧握张文彬的手，请他注意身体和安全。

“哈哈哈，没事。不瞒你老伙计，别看我快60岁的人了，但现在我感觉自己才30岁模样，浑身上下有使不完的劲儿！”张文彬带着一串笑声上了飞机。

此时的石油部“二文”——文彬和文彩，一个在国外、一个在国内，他们在国务院和石油部党组的领导下，全力以赴地指挥着中国石油海洋对外开放的全部工作。

张文彬到达的第一站是英国伦敦。此行目的是准备跟英国BP石油公司签订地球物理勘探协议意向书。BP公司是英国著名的石油公司，在欧洲的北海石油开发与中东石油勘探中曾有过辉煌业绩。中国与BP公司在北京时就谈得很融洽，并对具体的合作条款都有了共识：BP公司在中国海域内进行地球物探期间，公司所发生的费用均由BP公司独自承担；物探资料双方共享。按国际惯例，待地震普查结束，中方有义务在进行地球物理勘探的海域内拿出一定区块进行公开招标，参与地球物理勘探作业的BP公司有权参与投标。

因为事先早有准备，双方的签约只是例行一个形式，但这对中英双方都很重要，尤其是对张文彬率领的中国石油公司代表团来说，更感到签下的第一份合作意向协议意义深远。

张文彬看着副团长赵声振代表中国在意向协议书上签完字后，立即伸过手，握住BP公司总裁的手，说："今后我们就是合作伙伴了，希望贵公司把最好的技术及设备拿出来！"

"OK！这是没问题的，我们的技术是世界一流的！"BP公司总裁一派绅士风度地笑着回应张文彬。

"来，为庆祝与外国公司的第一个意向协议书正式签订，我们一起在这里合个影。"在伦敦著名的塔桥上，张文彬招呼所有代表团成员排在一起，面带笑容地留下纪念照。

第二站是巴西。当时里约热内卢正举行狂欢节，大街小巷都是狂欢的人们。一直生活在国内封闭环境下的代表团成员第一次见到这样的"花花世界"，真有些花了眼。"同志们，你们都得给我记住：现在北京正下着雪，我看雪景下的心境比这里炎热的气温要好……"张文彬冷不丁地向大家说道。

"部长放心，我们知道自己出来是干什么的。"赵声振出来打圆场，顿时消除了代表团成员们的紧张心理。

巴西之行，是中国石油公司代表团前来取经的。作为发展中国家，巴西在许多方面与中国十分相仿，如国土面积与国土自然条件，尤其是海洋领域，大小差不多。但巴西的海上石油勘探当时已经走在了中国前面，他们的经验主要也是依靠外国的力量进行，所以更引起中国石油界的兴趣。

“我非常热爱中国，你们有什么要求，可以随时提出，我将尽力让诸位满意而归。”接待张文彬一行的是巴西矿业动力部长植木茂彬先生，他是日本裔。共同的东方文化背景，使部长先生对中国客人格外热情，在家里招待了张文彬一行，是一种特殊礼遇。张文彬等中国石油人从植木茂彬先生那里知道：其实最早到巴西的东方人是中国的广东人和福建人，19 世纪就有不少中国人在此，因为他们特别勤奋，也就很快成了当地的富人。值得一提的是，中国人把自己的种茶和制茶、制烟技术传授给了当地人。但由于巴西殖民主义者是西班牙人和葡萄牙人，他们雇用的多数是非洲黑奴，勤劳的中国人成了他们的眼中钉，后来他们借机在当地族人中挑拨离间，最后掀起了一场残杀中国人的悲剧。之后的几十年里就很少有中国人移民到巴西，而这几十年中日本人就来到了巴西……如今日本籍侨民在巴西是最多的，他们很多人在政府中任职，成为巴西上层的精英。张文彬等中国同志听后多少有些遗憾，不过这位日本裔部长还是非常友好地安排了中国石油公司代表团的访问参观日程，并且几乎满足了张文彬他们的所有要求。

“我们从里约热内卢，到圣保罗、巴西利亚，又到了海上、陆上 11 个石油公司学习参观，学到了许多过去从未见过的国际合作经验，尤其是在国际招投标方面的经验。根据实际需要，我请示康世恩副总理后，又经植木茂彬部长的热心安排，将代表团中的尤德华、唐昌旭和汪善征三个人留在了巴西，让他们专门向巴西专家学习海洋石油对外合作的相关法律、风险控制、合同模式以及运作程序等方面的知识。尤德华他们后来都成了我国石油方面对外合作谈判与法律的专家。”事后，张文彬每每谈起当时的这一“英明决策”，总是很得意。

第三站是美国。这是中国石油公司代表团的最后一站，也是最重要的一站。

与一年前秦文彩他们访问时的情形相比，这一回的中国石油公司代表团，是堂堂正正的政府代表团。因为此时中美已经正式建交，所有日程与仪式完全是两国政府之间的行为。而且几天前，邓小平的首次美国之行所掀起的“邓旋风”和“中国风”，早已为张文彬他们营造了中美友好的融洽气氛。于是张文彬率领的中国石油公司代表团一行乘坐的飞机一抵达美国，就充分感受到了这种“不一般”：飞机在华盛顿机场一落地，早已等候在出口处的美国各大石油公司的代表和各大新闻媒体记者们的那种热情与阵势，简直把张文彬他们吓坏了，以为是搞错迎接对象了。代表团中有人偷偷问团长张文彬：“是不是他们把我们当作国家元首访问团了呀？”

“我们就是中国石油公司代表团！”张文彬将手往后轻轻一甩，示意大家从容面对。经历一两年与各种外国公司打交道的考验，现在的张文彬，几乎已成为经验丰富的职业外交官，什么场面他没见过？

“大家一定要记住：我们代表的是中国政府的石油代表团，而且是中美建交后第一个访问美国的政府代表团，同时我们又作为业主出现在美国众多石油公司面前，我们一定要拿出自己的姿态，这个姿态是什么呢？就是站起来的中国人的姿态！”一进华盛顿的饭店，张文彬就告诫代表团所有人员。

“团长，您说得具体一点，做个样子给我们看看！”有人半真半假地冲团长发问。

“那——你们看着！”老兵张文彬立即整了整灰色中山装，然后挺起胸膛，双腿站得笔直，目光炯炯有神地直视前方。“就这个样——你们学学。”

“哎呀，我们咋站都站不直嘛！”几个知识分子出身的成员一连站了几回，就是站不出个样儿来，急得直嚷嚷。

“哈哈哈……”赵声振等大笑，“我们的团长是老军人出身，人家一招一式是几十年当兵、带队伍练出来的，你们想现学现卖，没门儿！”

张文彬自个儿也笑了起来，不过，他的脸色突然严肃起来，说：“到了美国这儿，我们还真得要现学现卖。”

可不是。这回中国石油公司代表团来美国，对方非常清楚张文彬他们此行是来“玩真活的”——要与相关公司签约哟！对做买卖的人来说，签约意味着什么？就是做生意、发大财的机会到了呗！

“买主、业主来签约，等于亲爹亲娘见儿孙！你们现在是这儿最吃香的人了！”有位香港旅美人士羡慕地对代表团的人说。

这种感觉，张文彬他们刚踏到美利坚这块神秘的北美大地时便深切感受到了。几十年来，像《纽约时报》《华盛顿邮报》等美国主流媒体几乎都是反面报道中国的，这几天无一例外整版整版地都在正面宣传张文彬他们的访问情况。

“瞧瞧，山姆大叔其实挺会拍马屁啊！”有人把刊登张文彬巨幅照片的报纸拿给他看，这位老兵鼻孔轻轻哼了一声，说：“人家不是冲我张文彬长得怎么样，而是盯着我们口袋里的合同呢！”

“唔，姜还是老的辣！”代表团团员们无不敬佩团长的高见。

“我们的对手，都是国际著名石油公司的高层人士，他们谈合同的经验和技巧都比我们高明，诸位都给我把眼睛瞪大了，把耳朵直起来！”在会见阿科集团的代表之前，张文彬吩咐道。

“是，团长！我们已经准备好了，等待命令！”几个顽皮的老石油人冲张文彬做了个鬼脸。

“出发！”

一阵风过，中国石油公司代表团与阿科公司的代表双双坐在谈判桌前。

“尊敬的中国先生们，我们是不是先把方案给诸位介绍一下？”阿科公司的首席谈判代表用热切的眼神，期待地望向中国石油公司代表团张文彬他们。

“可以。”张文彬通过翻译说。

其实，中国石油公司代表团发现，美国人自有美国人的坦诚与直率，一旦他们认定合作的双方利益之后，就不像东方人那样斤斤计较，没完没了地讲价钱。

“看来我们的开放正是时候！他们看中了有钱可赚，所以迫不及待了。”

“可不，人家遵循的是国际惯例，表面上有些吃亏，其实他们的眼睛放得比较远……”中国代表团团员们私下窃语道。

“尊敬的团长阁下，我们今天拿了个合作计划，简单地说，就是‘357 方案’……”阿科公司的代表说。

“噢，说来听听。”张文彬饶有兴致地请翻译介绍。

“简而言之就是：3 月份我们之间正式签订热处理勘探协议，5 月份开始地震作业，7 月份再派代表去北京签订下一步正式合作开发的补充协议。简称‘357 方案’。”

张文彬等中国代表团成员听后面面相觑，大为惊诧，继而一片笑声。

“怎么，你们对此有何不同意见？”阿科公司的代表瞪大眼睛，表情十分紧张地看着中国石油公司代表团。

张文彬和团队中几个主要骨干用眼神相互对视了一下，然后非常友好地对阿科公司的代表说："我们基本同意你们提出的方案，除了某些细节一会儿我们再作商讨之外，我看——我们今天就可以签订一个备忘录。"

"OK！"阿科公司为自己能在与中国的合作中中了头彩而异常兴奋。

其实，张文彬他们的内心更是暗暗庆幸：美国之行的第一炮打得很漂亮！之后与埃克森、莫比尔和德士古3家老石油公司的地球物探意向书签得同样顺当。

这4家协议签下后，立即在美国石油界引起振荡：中国人真的开放啦！东方雄狮真的要大发展了！

"你们应当抓住机会，乘他们在美国访问期间，尽可能地把想获得的项目抓到手！"能源部长坐在总统的办公室里，刚刚将情况汇报完后，立即用手机指示其他几个石油巨头。

一时间，中国代表团的住处，成了石油巨头们接踵而来的热闹地方。团长张文彬简直成为热门的新闻人物，那些手握几十亿、几百亿资金的国际石油"巨无霸"们反倒成为一个个要排队等候的小卒了……

其实当时的中国石油人有所不知，此刻的白宫里，卡特正被伊朗老国王巴列维流亡的事弄得焦头烂额。巴列维本来是美国政府支持的，可失算的美国人明白过来他们支持错了人后，便想甩掉巴列维这只"烫手的山芋"，然而又迫于国际道义上的压力，左右为难。如今伊朗国内的伊斯兰革命浪潮一浪高过一浪，导致石油日产量从500万～600万桶一下降至零桶。这还了得！美国在这场"伊朗革命"中吃足了苦头。先是伊朗宣布停止对美国的石油供应，然后是整个世界石油市场的大涨价，一下翻到40多美元一桶。美国各大石油公司见石油危机再次出现，便又不惜重金囤积原油，这下可好，石油价格再度飙升，一直过了每桶50

美元大关！

“价格越涨，我们的劲头越足！”正当美国人民和东京百姓大骂霍梅尼和伊朗之时，赚足腰包的石油巨商们则在欢欣鼓舞地摇晃着脑袋唱歌，他们同时又把眼睛盯向所有可能给他们带来更多赚钱机会的石油新市场。

“中国要开放石油勘探开发市场？哈哈，那可能是个新的中东呀！”中国石油公司代表团到达美国的消息，让所有石油商人垂涎三尺。

真是超级大国啊，怎么会有那么多石油公司啊！那些日子，中国石油公司代表团的成员们真是开了眼界。

“实在对不起，我们的团长正在与菲利普斯公司的总裁会谈。”

“什么，你们是宾斯公司的？哎呀，能不能改个日子，明天我们的团长已经同城市服务公司的代表约好了呀！”

“不行不行，团长这 3 天的日程全部安排满了！晚上？晚上也有约了。对对，他已经两顿饭都是在谈判桌上吃的……你们总裁说，就给 10 分钟时间也行？那——要不我们跟团长说说，然后再联系如何？好，就这样。”

忙！中国石油公司代表团忙得不亦乐乎。要见团长张文彬的人太多，预约的和没有预约的全都主动找上门来，有的甚至等了几天还在不停地追问有没有希望见到“张团长”。

“好事嘛！来者不拒！”虽然累得有些上气不接下气，但张文彬和代表团的所有人员情绪高涨。面对那么多想见中国代表团的美国公司，张文彬做出调整：可以让他们公司之间相互联络，几家公司联合过来跟我们谈也行嘛！

消息一出，美国公司间立即展开了公开的和秘密的“自由恋爱”……联合石油公司和阿莫科公司都是美国著名石油巨头，他们也不得不进行“临时婚姻”，这样才有机会与张文彬团长面对面地谈判……

数日下来，中国石油公司代表团与那些积极热心期望与中国合作勘探开发海上石油的美国公司签下了不少意向协议或订下口头协议。

“我们可以满载而归了！”那一天，正当代表团成员们收拾行李，按预定时间准备返回祖国的时候，突然有人发现一个重要问题：怎么西方石油公司没有人来找我们呀?

张文彬的神色也紧张了一下，随即他又放松了神经，说：“不用猜了，人家石油公司与石油公司之间也有猫腻，我们怎么知道是牵线的中美贸易促进会玩花招，还是人家美国公司之间在相互出招呢?只要他老哈默有心与中国合作，机会肯定均等。”

其实张文彬他们猜错了，哈默才不会像别人一样去凑张文彬他们那儿的热闹呢！他早已独辟蹊径，捷足先登——在上一个月底邓小平首次访问美国时，哈默花重金买下了一张参加卡特总统的欢迎宴会的门票，并在现场获得了向中国实权人物邓小平敬酒的机会。

“喔，我知道哈默先生的传奇经历。”邓小平笑呵呵地对这位石油巨头说，并表示欢迎哈默先生到中国做生意。哈默先生也不愧是做生意的高手，有了邓小平的话，他后来到中国与石油部的合作比其他公司顺当得多，这是后话。

所以，在张文彬他们到处忙碌的时候，坐在西方石油公司的帝国大厦里的哈默正抽着雪茄，洋洋得意地看着他与邓小平在白宫宴会上碰杯的彩色照片呢！坦率地讲，当时的中国人确实没几个人知道哈默是谁，更不知道他的西方石油公司的传奇。其实哈默这位1898年出生的犹太人，一生传奇无比，并且几乎影响了整个20世纪。哈默的父亲是位热爱政治的牙科医生，是仅有的几个见过列宁的美国人之一。老哈默很有意思，自打见了列宁，也就有了共产主义思想，因此接下来成了美国共产党的缔造者之一。哈默继承了父亲的生意智商，却没有继承他的政治热情，是个一生只会赚钱的标准的资本家。但哈默在做生意中却用尽了父亲给他留下的“政治遗产”，因而这位同为牙科医生的犹太人最终成了大富翁。1921 年，哈默到苏联去收账——苏维埃政府欠了他父亲一笔 15 万美元的账。列宁知道后，将年轻的哈默介绍给了斯大林，这就使得哈默在苏联有了一张“特许通行证”。哈默第一次运用这张“特许通行证”，还真获得了在苏联境内的一处矿产地开发石棉的“特许证”。这是哈默在社会主义国家，利用政治关系所获得的人生第一桶金，并从此一发而不可收。可 1956 年之前，哈默还没有涉足石油生意场，也没有人相信这位靠吃“政治饭”的“当今世界商场上最会表演的伟大商人”，能在陷阱频出、风浪险恶的石油场上兴风作浪。这一年已经 58 岁的哈默来到洛杉矶准备退休，可就在这时他意外地收购了一家名叫“西方”的濒临破产的石油公司。命里注定哈默将成为石油大亨——他的西方石油公司竟然在 3 年后的一天，像瞎猫碰上死耗子一样，又一次意外地在加利福尼亚发现了一块大油田……10 年后，哈默的石油公司已经有了年销售额 7 亿美元的业绩。哈默后来一直沿袭了他的“政治 + 交易”的生意经验，成为苏联政府认定“最永久可靠”的美国商人，并在这个红色政权手中获得了巨额利润，也有了“红色资本家”的称号——美国商界的对手们有些嘲讽他的意思，尤其是石油界的同行。可哈默后来在利比亚的一次“真正的石油生意”终于让所有美国石油界同行俯首称臣。事情是这样的：1966 年，另一家著名石油公司莫比尔公司在利比亚的一个后来被称为伊德里斯油田的地方获得“特许”，并搞了不少勘探和打钻工作，但没有收获而放弃了。哈默来了，接过这块废地，重新运用新的地震技术，结果第一口井就打出了日产 43000 桶的富油井，另一口井更为神奇，日产达 75000 桶——西方石油公司找到了一个蕴藏量属世界最富之列的大油田！“天下要大乱了，我们开始要当大人物了！”哈默吸着雪茄，吐着烟圈，优雅而调皮地说了一句。哈默在中国刚刚开启对外开放的大门时，就敏感地意识到了，并一出手就运用了他的独家经验——“政治＋交易”，直奔邓小平这位中国最高层的实权人物，果然获得奇效。后来他走访中国，成为邓小平的老朋友。哈默花巨资买下了华裔画家陈逸飞以周庄为原型的油画，送给了邓小平，一时被传为佳话，使得陈逸飞和周庄均获得了大名大利。不过，哈默在中国做生意并没有像在苏联历届“总书记”那里得到的好处多。中国人后来对哈默的评价是：“说的比做的要多。”老哈默活到1990年，享年92岁。这位传奇的世纪石油巨人，我们仍然非常敬重他，就不去对他多作评说了。

还是继续来说张文彬他们的中国石油公司代表团从美国回到祖国后的事。不几日，中国国务院迅速批准了石油部与英、美等国4个公司关于在中国的黄海南部和莺歌海部分海域合作进行物探工作的协议。这时，秦文彩等为筹备迎接国内海上大战的准备工作也正在紧锣密鼓地进行着。

4月9日至14日，秦文彩和张文彬、阎敦实共同主持了一次重要的石油工作会议，此次会议可以说是海上石油大战的战前动员会。此时的石油部上下，群情振奋，跃跃欲试。与此同时，张文彬和秦文彩又把“渤海”“南海”两个基地的领导叫到北京，告诉他们：形势发展之迅速要比想象的还要快，预期不出3个月，在我国黄海南部和珠江口大陆架的海域，以及海南岛南部至北部湾20万平方公里的海域，将有十余艘不同国度的地震船只，进行高速度的勘探工作，这是中国对外开放的第一次大行动，不仅对中国石油事业，而且对整个中国的四个现代化建设都将产生深远影响。“我们必须以高度的责任心，打好这海上第一仗！”张文彬以军人的作风，鼓动两“战区”的将士。

秦文彩更是忙着与石油部的机关人事部门商议调兵遣将事宜：

第一件事是组织地质、物探的专业技术人员共80人进行集训。训练后，即上各国物探船担任监督任务，并参加现场资料采集和准备下一步的资料解释。

第二件事是调集12名高级专家组成3个专家组，立即派往美国休斯敦、法国巴黎和中国香港，代表中国石油公司处理同各国石油公司有关的技术业务往来。

第三件事是组织21个定位岸台，共44名专业技术人员参加，马上派往“南海”“南黄海”各“战区”前线，投入导航定位工作。

第四件事是组织64名财务会计人员进行培训，准备派往各合作区域参加财务管理。

“按照宋部长和张副部长的要求，以上四个方面的人员，必须在政治上能够达到外事人员的要求，要精通专业技术，要有一定的外语基础，身体还能适应海上工作。”秦文彩对人事部门的同志说。

“我说秦部长，我们一下从哪儿调集这么多你所要求的人才呀？”

“这个我不管。大战在即，这是战斗的需要，你们想办法吧！”

秦文彩放下话，大步走出了部机关的人事部门大门，不过他又折回身子，冲着愣在那儿的人事干部们笑笑，说：“我知道是难事，但我相信你们！”

毫无疑问，石油部是个经得起各种考验的战斗集体，几十年来，在余、康等卓越领导人的领导下，通过大庆、胜利等油田会战的锻炼考验，这支随时能拉得出去并打得赢的共和国石油军，在建设“四化”的伟大战役中，正接受着新的考验……

第六章　发往华盛顿的急电

在中国领土和领海上，让外国人来勘探和施工，这涉及国家间许多敏感的事，因此石油部在与国外公司合作过程中所进行的每一步都必须向国务院汇报请示。这过程，说复杂也复杂，说简单也简单，就看谁做，做什么事了。

石油部做的对外合作是中国对外开放先行的重要步骤，中央政府一直极为重视，而且一路绿灯，格外关照。再加上国务院主管石油部工作的两位副总理都是石油部的老部长，显然石油部干什么事都会在国务院获得更多的“绿色通道”。

张文彬他们美国之行回来后，马上以石油部的名义向国务院做出专题请示报告：

……按照国务院批准我部的《关于赴巴西、英国、美国访问时有关海上石油合作问题的请示报告》精神，以中国石油公司名义，与美国阿科公司签订了在我国南海特定区域进行地球物理勘探的意向书，与美国埃克森、莫比尔、德士古 3 个石油公司签订了在我珠江口外大陆架至 600 米深的 17 万平方公里的海域进行地球物理勘探的原则意向书，与美国联合石油、阿莫科、城市服务、宾斯、菲利普斯 5 个石油公司也大体上谈妥了在我国北部湾及南海一带海域进行地球物理勘探的口头协议。我们准备从 4 月中旬开始，在北京同埃克森等 8 家石油公司进一步谈判，以期把合作的具体协议定下来。

把对我国海域按风险合同的约定进行地球物理勘探工作，作为第一阶段的合同内容，已和外国公司谈妥，从签订合同之日开始，一年之内把地震资料处理和解释全部做完交给我国，为下一阶段的详探开发进行招标做好准备。只要我国不改变招标意向，第一阶段的勘探费用，将由得标者偿还，我国无偿还这笔费用的义务。这是目前国际上石油勘探风险合同的通用做法。这样，在一年之后南海、黄海及北部湾20多万平方公里的海域内，构造面貌基本可以搞清，这将加速我国海上石油的勘探开发。如国务院同意，我们准备5月到美国签订第一阶段的合同。

……

请示报告发出前，石油部是向康世恩副总理汇报过的，毫无疑问这份报告内容康世恩十分清楚，同时他也告诉了石油部的同志：5月份他要访问美国。石油部的人一听机会太好了，康副总理去美国，这不正好把我方与美国几家石油公司的物探协议正式签订下来嘛！于是经紧急请示，石油部拟派部长宋振明随康世恩副总理率代表团一起访美。

这一切，在石油部的张文彬和秦文彩看来，可谓“天赐良机”，顺顺当当的事儿。此刻的他们，正想着我国东部、南部的三大海域即将拉开的石油大战序幕……呵，那一定轰轰烈烈，波澜壮阔！

干了大半辈子石油，几乎都是“旱鸭子”——在陆地上干，这回海上石油勘探战役拉开，在一望无际、波涛汹涌的海面上作战，该是多么富有诗意、富有挑战性啊！而且还有一点让石油部的同志觉得在中央面前很有面子：因为他们与美国所谈的合同中，都是让别人为我们干活，而我们是不付钱的！一个国家与一个家庭、一个单位有时很相像，尤其是我们国家当时还很穷的时候，如果有人能让国务院总理不掏口袋还能办成事，国务院总理也会非常开心的。所以此时石油部的人，自以为有足够的底气使国务院能够按照他们的想法批准一切对外合作行动计划。

石油部《关于与美国九家石油公司在我国南海进行地球物理勘探合作的请示报告》是4月14日上报的，宋振明部长想随康世恩访美的报告是4月26日突击补上的。不想第二天石油部老部长（康世恩）的“老部长”余秋里的一个出乎石油部预料的批示来了，这个批示让正激情澎湃准备随康世恩访美的宋振明部长等人措手不及，大吃一惊。

中共中央政治局委员、书记处书记、国务院副总理余秋里这样批示道：“这是一个大项目，风险合同又是一种新方式，涉及法律、经济权益、资源保护等方面的问题。建议在世恩同志出国前，请国务院、财经委领导同志听一次汇报。”余秋里还在批示后面加了一句“请李副主席、任重同志批示”。李是李先念，任重是主持中央书记处日常工作的王任重同志。

“这家伙搞复杂了！”当天，石油部得到余秋里的批示精神后，几位主要领导好一阵叫苦：康副总理没几天就要出国了，这事定不下来，5月份与美国方面的合同就等于无法签订嘛！

“赶紧与康副总理联系，请他设法亲自与秋里同志沟通一下！”

“对对，只有找康世恩同志了！”

石油部急了，一急他们就找“老部长”。

老部长康世恩一看余秋里的批示也有些急了，一则觉得余秋里同志的意见非常重要，二则觉得自己访美的日程不好改变，而石油部与美国9家公司的合作也迫在眉睫，不能拖了，一拖可能影响后面更多的事情。怎么办？康世恩眉头一皱，立即提笔，给余秋里同志写了一封急信：

秋里同志：

关于美国九家石油公司采取分阶段“风险合同”的办法在南海进行石油勘探已谈判了一年。决定第一阶段先搞地震普查，我可不付任何费用，只承诺下一步允许他们在我指定的范围内进行详探找油，并进行双方合作开发油田。此种做法国务院已批准和英国、法国石油公司在南黄海勘探。现在和美国九家石油公司也可采用这种办法，早日在南海开展工作……

可否，请你批示。呈总理、各位副总理。

二月二十六日

康世恩的这封信第二天就得到了余秋里的批示：由石油部向国务院、财经委领导同志汇报一次。

“老部长”口气不一般，估计“上面”又有了包括康世恩在内的石油人并不十分了解的“内情”。康世恩和石油部谁都不敢怠慢，于是在访美前的5月7日，康世恩亲自出面向由李先念主持的中央财经委会议作了专题汇报。

汇报会后，中央财经委领导小组专门就听取康世恩汇报后形成的三点意见报请了邓小平：一是鉴于中美关系正常化顺利进展的情况，同意康世恩同志的汇报意见。建议中央、国务院原则上批准石油部《关于与美国九家石油公司在我国南海进行地球物理勘探合作的请示报告》和《关于石油方面赴美工作计划的请示》，由康世恩同志访美期间与美国具体商谈。二是石油部提出的每年留用一部分原油开展补偿贸易问题，要慎重考虑。三是与外国石油公司签订协议后，各有关部门如何配合，涉及体制相应变动问题，请石油部与有关部门商量后提出具体方案，报国务院审批。

国无小事。中央财经委领导小组的“三点意见”报到邓小平处，小平没有任何批示意见，只作了圈阅。这是中共领导的一种习惯性决策方式，圈阅或表示“已经知道此事”，或表示点头同意了。石油部的这件事，因为最终决定权在邓小平，所以他的圈阅意味着他同意或对中央财经委的意见无异议。

石油部和康世恩得到邓小平的“已圈阅”消息后，才算是松了一口气。

“总算可以走了！”宋振明向准备访美的部下挥挥手，要求他们做好精神和体力上的充分准备。“石油工人一声吼，地球也要抖三抖。这回我们跟着康副总理到美国要与那么多世界石油公司打交道，多少也得拿出些当年我们在松辽会战的劲头！”宋振明是个有名的政治鼓动家，现在他把“铁人精神”用在了对外开放的中国石油事业上，同样很鼓舞人。

“哈哈，宋部长，这回我们到美国一下要签那么多合同，说不定真的让地球抖三抖呢！”出访前的同事们壮志凌云。

身负与美国九大石油公司正式签约重任的康世恩，率中国石油公司代表团登上北京机场的国际航班，徐徐飞向太平洋彼岸……此刻，美国石油界的巨头们正翘首以待。

“坏大事了！”康世恩、宋振明等前脚走，石油部就接到中央转来的通知：外交部就石油部与外国公司在北部湾海域进行勘探作业一事向中央提出异议，要求石油部通知在美的宋振明部长立即暂时中止与美国公司签约的所有事宜。

这不是“坏大事”是什么？石油部党组立即召开紧急会议，一方面迅速通知大洋彼岸的康世恩、宋振明他们尽可能地“延缓签约时间”，另一方面指派秦文彩以最快的方式和方法处理此事。

“要命！真是要命！”秦文彩接了这件棘手的事情，心头直发愁：外交上的事太复杂，弄不好几十天、几年都解决不了，可康副总理他们现在美国，就等着跟人家正式签约。“这样下去怎么行啊，我们总不能一天编一个理由出来哄人家吧？你们得采取点特殊手段！”宋振明部长在大洋彼岸每天打一个越洋长途电话来催促。难怪，康世恩副总理是代表中国政府去的，这拖一天两天还说得过去，如果时间一长，“老外”肯定产生疑问，影响可就大了去了！

秦文彩能不知道这层利害关系吗？

但是，外交上的事并非张三李四随便能说了算的。外交部对石油部与美国公司合作在南海上搞勘探工作提出的问题也是十分重视的。

外交部建议在这类敏感的海域进行与外国合作开发，尤其是同美国公司的合作，必须有中央特别的批准。同时还必须征求人民解放军总参谋部的意见。

复杂！比想象中的还要复杂！

外交部的这份意见直接送到了邓小平处。邓小平立即批示给余秋里、谷牧和康世恩，并说“外交部意见是重要的”。

余秋里迅速转批道：望石油部“遵照邓副主席批示”“迅速研究提出报告”。

秦文彩没有时间也不敢有任何怠慢，紧急召集尤德华、唐昌旭等有外事方面知识和经验的专家商议讨论，连夜赶写了一份专题报告，报告就外交部提出的问题做了相应的回答和说明。我在此仅仅用了一句话概括秦文彩他们的报告，其实这份报告挺长，说明的问题也比较复杂，石油部先将报告呈送到老部长余秋里处。余秋里迅速转呈给邓小平，并附上了自己的一封信。这信从某种意义上起了关键作用。余秋里的信全文如下：

邓副主席：

关于和美国石油公司合作在南海进行地球物理勘探问题，石油部遵照你的批示，和有关部门进行了认真研究，对勘探范围和下一步工作提出了建议，已征得外交部和总参的同意。我也曾听过石油部两次汇报。现将石油部报告呈上，请阅示。如认为可行，即请石油部给驻美使馆发报，转告世恩同志。

1979 年 5 月 26 日

邓小平在第二天就批示：同意。

有道是一字值千金，邓小平的这两个字比泰山还重。

“文彩，你们可是立大功了！我们这几天天天跟着康副总理与老外签约，非常顺利，大功告成了！”接到我驻美大使馆转去的急电几天后，宋振明再次给秦文彩打长途电话时，那兴奋劲有点像小孩似的。

疲惫的秦文彩坐在办公室的椅子上，终于露出了笑容。他感到十分开心，他也在想象康世恩和宋振明他们在大洋彼岸与诸多美国石油巨头频频签约的热闹场面……

6 月 5 日至 6 月 9 日的短短 5 天时间里，康世恩带着宋振明他们，来回穿梭在美国的达拉斯、休斯敦、洛杉矶和旧金山之间，掀起了一场强烈的“中国旋风”，着实让美国人感受了一下开放后的中国风格。

与此同时，秦文彩在北京也主持完成了石油部与英国、意大利等公司的物探协议的签订。在这个过程中，作为中国近邻且又能源紧缺的经济大国日本，看到欧美国家与中国海上石油开发搞得热火朝天，哪能安得下心？“我们一定要走在欧美之前，甚至不惜动用政府的力量！”时任首相的大平正芳，是中日关系正常化的积极推动者，他的态度坚决而友好，所以中日之间的海上合作被迅速提上议事日程。

然而由于中日两国在海域国界方面长久地存在一些分歧，如钓鱼岛的争议由来已久，合作海洋石油开发便滋生出比与欧美合作更复杂的政治因素。

一时间，首相大平正芳为此事专门召集内阁大臣会议，统一意见，并亲自出面与访问日本的中国副总理邓小平协商，最后两位领导人取得一致意见：搁置分歧的地方（钓鱼岛问题），在可以合作的区域进行合作。

但具体运作中日海上石油勘探开发工作的石油部发现，中日之间的事，远比想象的要复杂得多。尽管已是两国最高领导人商定好的事，但一到具体执行的部门和下面时，阻力仍然巨大。

这阻力既有来自政府强有力部门的，又有来自民间的。还有比这两者更要害的部门，如军方。军方听说石油部要与日本在渤海湾合作开发，总参谋部立即向军委报告，指出：渤海是我京津门户，在未来反侵略战争中，是敌人从海上来的重要方向之一，战略地位十分重要。同时，因渤海是我唯一的内海，安全保密条件好，新中国成立以来除了国家加强海岸防御措施以外，军事部门和守护部队陆续在这一带建立了很多军事基地。军方的态度非常明确：鉴于这种情况，渤海湾的石油勘探开发，“最好不与外国人进行合作”。

这是可以预料到的事情，日本方面非常看重与中国的合作，大平正芳甚至放出话说：中日两国恢复关系正常化，我们走在了美国人前面，中国方面应当摒弃历史和传统观念留存的偏见，我们是近邻，近邻不合作，中国的对外开放将是残缺和不完美的。

而就是这时，有关部门的有关人士——这些部门和这些人也不是一般人，他们通过特殊渠道频频向中央反映：“我们中国自己也有地球物理勘探人员，为什么在20世纪五六十年代的时候能够找到大庆这样的世界级油田，却不能在海洋上找油了？”一句话，石油部“弃近求远”“崇洋媚外”！

这么大的“帽子”，在改革开放刚刚起步的年代，谁要是被扣上了，可能就什么事也干不成了！那时候，“文革”虽然宣布结束了，可留在人们头脑里的东西和一些意识仍然相当严重，石油部如此起劲地引进外资，并与“资本主义国家”的“资本家们”搞得如此火热，在一些部门和一些人看来，石油部的行为已经同“叛国”“卖国”相差无几了！

石油部秦文彩他们哪吃得消这个？可他们自己又无法一一争辩。再说，对石油部提出这种看法的人后来已经不单单是个别部门了，一些曾经身居要职的老领导也在说三道四。康世恩感到了问题的严重性，于是在1979年的7月和8月，连续两次以个人的名义，向邓小平和其他中央主要领导写信，陈述中日合作在渤海海域进行石油勘探开发的相关问题和让外国公司到我海域进行海上石油地球物理勘探的必要性。

康世恩作为新中国石油事业的主要组织者和领导者，对海洋石油勘探开发等技术方面的精辟认识和呕心沥血为国家“算账”的精神体现在他在当年写给邓小平等领导的信中。

……目前，我国石油地球物理勘探技术和国外先进技术相比，确定存在较大差距，主要体现在：

①野外地震仪器。美国采用的是多道记录，高次覆盖技术（九十道以上，四十八次覆盖），取得的原始资料质量好，准确性高，对复杂的较深的储油构造反映比较清楚。过去我们用的是模拟磁带记录，得到的资料质量比较差。近年来，我们自己装配和引进了七条数字地震船，也只能搞二十四次覆盖，对一些深层构造、复杂构造仍搞不准确。再买高精尖的仪器也一时搞不到。

②地震资料的处理和研究，差距更大。我这次在美国看了三家地震资料处理中心。他们用一千万次或者更大型的电子计算机能将地震波的波形、频率快慢、反射能量的强弱等区分开来，并

有数十种计算程序和公式，他们叫做技术诀窍，各自保密，是买不到的。因此他们能将地下的复杂情况分辨出来，画在图上。他们还发展出一套新的学科——地震地层学和烃类迹象解释（即直接找油找气法，有的成功，有的不成功，正在探索），大大提高了在复杂地质条件下找油的效果。我们只有一百万次以下的小型电子计算机，对大量资料处理不了，只能大致上划分地层，找到简单而明显的构造和断层。地下复杂的情况需要钻井来解决，所以投资大、效率低、费时长，而且对特殊地质条件下的隐蔽的油气藏难以发现。例如地层圈闭油藏、珊瑚礁块状油藏，世界上已发现的有很多，我们还没有找到。

总之，我们不是什么也不行，有些我们还有自己的特点，如大庆油田的采油地质研究和相应的一套开采工艺，美国专家也赞赏。我们打井的速度差距也不是很大。但在地球物理方面，差距确实较大，影响新油田的发现。

因此，海上石油勘探，我们和外国拥有先进技术的石油公司用补偿贸易的办法，签订风险合同进行勘探，对我来说是必要的也是有利的。在勘探阶段，由他投资，用他的先进技术和技术诀窍，找到油田的话，以后用所产的原油偿还。找不到油田算他赔，我不负责，这对我没有什么坏处。当然找到油田以后，如何开发建设，如何偿还他们的勘探费用和油田开发建设的全部投资、利息以及风险报酬等，有一套复杂的业务合同，我们还需要深入研究，避免吃亏……

几天后，邓小平在康世恩的信上批示道：“我赞成，并主张加速进行。”

至此，康世恩以其无可争议的权威和忠诚祖国的赤子之心，使一些原本对石油部与外国公司合作进行海上石油地球物理勘探说三道四的人闭上了嘴。而邓小平的意见，则使党内在对外开放问题上有了更统一的认识和信心。对所有这些，最高兴的当然是石油人张文彬、秦文彩他们。历经周折，至此，中国石油部与40多家外国石油公司签订了合作开发项目，这是中国对外开放初期最重要的战略举措，它对中国四个现代化建设的全面起步，做出了不可磨灭的历史性贡献，并成为中国改革开放的重要事件而载入史册。

此间，一场声势浩大、规模空前的中国海域地球物理勘探大战的序幕，就在中国海洋被彻底地拉开了……与此同时，中国石油人迎来的则是更广阔、更深刻的对外开放的惊涛骇浪……

第七章 “石头”终于摸到

在人类发展历史中，中国曾经远远地走在世界各国的前头，但在晚清时代落后了。1840年的鸦片战争则成为中国彻底败落于世界强国的标志性年代。石油经济的历史变迁，情况与之十分相似。中国是最早发现和运用石油的国家，公元100年前，东汉史学家班固就在《汉书》中有过“高奴有洧水可燃”的记载。而“石油”一词则是我国宋代著名科学家沈括在《梦溪笔谈》中提出的，并认为中国的“石油至多，于地中无穷”。

然而，真正的工业化石油开采，中国又远远落后于西方各国。海洋石油开采的历史更是落后了西方半个世纪左右。1978年对外开放之前的中国海上石油开采，几乎是零。渤海湾和南海领域有过一些船只，但也只是小打小闹，没有成什么气候。

可是这个时候的西方世界和其他地区的海洋石油勘探开发已经相当成熟。美国的墨西哥湾大发现自然更不用说，20世纪60年代末70年代初，挪威和英国先后在欧洲的北海发现了埃克菲斯克大油田和福底斯特油田，使挪威和英国所拥有的北海油田储量分别达到57.5亿桶和154亿桶，一向依赖石油进口的英国也一跃成为主要产油国之一。整个西欧的石油储量几乎与美国相等，仅北海的石油产量就达到200万桶／天。地处中东的海湾国家的海洋石油勘探开发则更早、更广泛和更大规模。苏联在里海的石油大发现，同样是激动人心和让人心生妒忌的。

当中国对外开放的门户被改革总设计师邓小平以巧妙的手段开启后，石油人成为开路先锋，海洋石油的勘探开发则是具体的战役和战线。与数家外国公司的地球物理勘探协议签订后，用康世恩的话说，这仅仅是“报了一个幕”，下面的戏该怎么唱、好看不好看，全在编剧和演员了。

当然，戏要好看，导演是第一位的。

中国人过去对海上石油勘探开发几乎一无所知，即使是全程领导指挥了大庆油田、胜利油田等这样的陆上大油田勘探开发的康世恩、张文彬，也仍然对海洋石油工作所知无几。这时摆在中国石油人面前的一项紧迫而特别重要的任务是：当外国的先进海上石油勘探开发平台一艘艘载着设备和众多人员进入我主权之内的海域进行作业时，我们如何管理、如何衔接、如何按合同程序和国际工程管理法律条例履行自己的职责？这些是当务之急。

“老外”办事风格独特，合同一旦订下，一切按合同办，哪条哪款没有履行，你就是出于好意让他挪动个屁股，他都会来一句“让我的律师跟你说话”。

中国石油人在改革开放初期，对海洋石油基本上是“海盲”。而形势又迫使“海盲”必须与“海盗”（精通海上石油勘探的人常常这样戏称自己）较量。政府赋予康世恩、张文彬和秦文彩他们的基本要求又是“必须赢”，当然最好是“双赢”——在无法实现“老外”与我方都能满意的时候，允许“老外”多赚点钱，而我们自己则必须学到技术、找到真正的海上新能源。

不难看出，政府赋予石油人的责任是：不管什么情况，不管与外国公司合作有多大困难，我方必须占有绝对主动权，找到油源和学到本领是目标，必要的一些学费可以花，但要花在刀刃上。

康世恩、张文彬和秦文彩这三位都是军人出身的老石油人，尽管解放军的战史上很少有他们的战争功绩记录，但要论在石油战线的工业战役，他们个个打得漂亮而精彩，可称得上是“百战百胜”“智勇双全”的将帅。然而面对已经或即将在中国海域布阵的外国石油勘探开发船队，作为代表中国政府管理团队的统帅与最高指挥官，他们感到了前所未有的压力和紧迫感。

海上石油勘探开采风险本来就大，现在又是外国公司在做主力军，“海盲”的中方作为业主，这样的风险等于加大了无数倍。难怪连已经离开石油部而升任为国务院副总理的康世恩，都不得不在日理万机的同时仍然放弃一些必要的工作，不惜率团万里迢迢去学本事……

康世恩在北海摸“石头”

中国也有一个地名叫“北海”，但中国的北海在广西。我们这里说的北海在欧洲，是隶属于英国、挪威、丹麦、荷兰和德国等国家的广袤海域。1969 年，正当世界石油进入又一个危机阶段，埃克菲斯克公司在挪威所属的北海海域发现了大油田，之后英国、丹麦、荷兰、美国等世界著名的石油公司纷纷扑向北海，形成了一次世界性的海上石油勘探大高潮。其间除发现埃克菲斯克油田外，还发现了西索尔气田等世界级的大油气田，北海因此成为仅次于中东波斯湾和墨西哥湾的世界第三大海上油田，面积达 62 万平方公里，当时（1979 年）的原油产量达 1 亿吨左右，另生产天然气 750 亿立方米。由于北海油田发现的时间更接近当代，又因北海油田的勘探开发更多地采用了国际上最先进的公司招标形式，因而它所形成的一整套国际海洋石油勘探开发模式，科学而公平，为后来的国际海洋石油合作提供了宝贵经验和参照。

“就去北海摸‘石头’！”康世恩不愧是老练的石油战略家和杰出的石油管理领导者，他在出国准备阶段同石油部宋振明部长等谈话时，就选定了欧洲的北海油田作为自己考察学习海洋石油管理工作经验的目的地。

“地球物理勘探的开始，只是我们整个海上石油开发的侦察阶段，真正的对外开放战役是后面的招标。招标，等于是把我国所确定的那些准备开发的海上石油区域，分配给各个外国公司去完成实施计划，等于是放手让人家替我们去打仗。赢了输了，对外国公司来说，就是赚钱与赔钱的事，可对我们来说，不仅仅是赔钱与赚钱的事，而是国家石油开发战略的方向性问题。只能成功，不能失败。这个成功，最好是要打出油，最起码也得把海底的情况摸清楚。邓小平同志说我们的改革开放是摸着石头过河，我们这可是摸着石头蹚海。要准备喝几口咸水，甚至可能还要淹死人，但我们不能怕，怕就无法学到本领。”康世恩在 1980 年 5 月至 7 月 4 日这一次时间最长、访问最深入的“北海之行”中，一路上与宋振明和随团同行的时任上海市副市长的陈锦华等，说得最多的就是这些话。

康世恩一行的第一站是挪威。作为北欧小国的挪威，过去一直是个贫油的进口国，但北海油田的发现，使这个美丽的欧洲小国一跃成为石油出口国，同时引发了经济和社会的全面发展。挪威政府对中国人民始终抱有友好的态度，康世恩一行的到达，被认为是开放后的中国对挪威的一种友好姿态，因而受到包括首相在内上上下下的热烈欢迎。当中国代表团表示期望在这里学到些海洋石油勘探开发的国际经验时，挪威能源部门和各石油公司表现出了少有的真诚和无私，他们对康世恩等中国石油界同行说，在北海的挪威石油公司，你们中国朋友可以随便看，有什么要问、要咨询的，我们都会毫无保留地告诉你们。

“而后来的事实也证明了挪威是我们中国在进行国际海洋石油勘探开发合作过程中，最有价值的好朋友之一。”秦文彩用这样的话评价道。

“啊——这儿太伟大、太气派了！”站在北海油田的平台上，年届 65 岁的康世恩仿佛又回到了他年轻时第一次到玉门油田时的情景……同样是激动，但此刻这位中国石油领航人是被西方世界一座座耸立在碧海蓝天下的先进的海上石油钻井平台所感染、所冲击……“这就是先进生产力！这就是国际高水平！”康世恩一次次感慨万千地对身边的宋振明等中国石油公司代表团团员们说，“看看人家已经发展到这个水平，我们现在的海上石油勘探技术和能力，好比过去我们跟蒋介石打仗一样，是小米加步枪的水平……”他因此再三向同行的中国石油人说：“要想在中国的海底找到油田，就得放下架子，虚心跟人家外国公司学习。”

“西方资本主义确实有许多先进的地方值得我们拜其为师。我们跟资本家搞在一起，不是学他们腐朽的东西，而是要学他们的先进管理经验和成熟的国际工程承包经验与法律知识。要有荷花精神，出淤泥而不染。”康世恩为中国石油对外合作工作所提出的“荷花精神”，从此成为中国石油事业对外开放和走出国门、走向世界战场的指导方针，并且引领中国石油人一直走到今天……

“你和你的团队如此真诚、好学，给我和我的国家及人民留下了深刻印象。”在伦敦唐宁街 10 号的首相官邸，“铁娘子”撒切尔夫人紧握着中国石油领袖人物康世恩的手，脸上充满了敬佩之意。

北海油田的成功开发和有今天如此伟大的业绩，说明了什么？说明了十个字：智慧、首创、风险、投资、耐心！“北海之行”让康世恩一直处在高度兴奋和情绪激动之中。回到中国，他立即把张文彬、秦文彩等叫到自己家的那个小会议室，连续开了 3 天的专题会议。从接管玉门油田到参加大庆会战，张文彬和秦文彩等人已经有许多年没见康世恩这么激动了——他一边不停地抽着烟，一边滔滔不绝地讲着：北海油田上的智慧，是在先进科学技术指导下的智慧，这地震地层学就像我们的医生掌握了 X 射线一样，把海底世界透视得一清二楚！这就是小平同志所说的“科学是第一生产力”！科学是什么？说穿了，就是掌握了先进思想和先进技术的人的智慧！但有智慧还不够，人得有点精神，这精神中首创精神顶重要！北海油田的成功发现和成功开发，都是世界石油史上的首创，它集国际石油技术与队伍之大成、之精华，从而才开创了北海神话。整个北海油田是世界各大石油公司的共同舞台。在这个舞台上，人人平等，公平竞争，它的前提是：相应的国际经济法则。海洋石油勘探开发，是人类对地球上所有能源的开发中风险性最大的作业，这种风险包括人与自然之间搏斗的风险，巨大的资金投入和可能水中捞月一场空的彻底失败风险！但冒这种风险是值得的，它既是对资金投入的科学检验，同时又是对石油人的信心和意志的考验。一个北海油田，600 亿美元的投资，说明了什么？说明了海洋石油投资的巨大，巨大到可能是我们无法想象的漫无边际。如此浩大的规模，让我们看到了奔向大海的事业是如此的壮丽和伟大，同时又是那么的险恶和莫测。这就更要求我们抱着科学的态度，抱着对国家、对民族、对人民的每一个铜板的珍爱和怜惜之情，只有这样，我们才可能不负使命。但是，海上找油，如同大海捞针一样难，奥妙无穷。大海充满诱惑，又充满神奇，海底世界的复杂性，海上作业的不可测性等，都构成了海上石油开采与开发的艰苦与艰巨，漫长与渺茫……只有充分的耐心，百倍的耐心，持之以恒的耐心，才有可能收获，才有抱到大金娃娃的一天！

“这就是我们考察外国海洋石油勘探开发过程中所摸到的‘石头’！有了这样的‘石头’，我们才能过得了对外合作开发海上石油这条长长的河、充满急流险滩的河！”

康世恩激情澎湃地总结和归纳了海洋石油的“十个字”及另外的“六大特点”，后来被石油人称之为“康氏模式”，或叫“中国海洋石油模式”。

王涛、卫留成等人的“疯狂英语”

王涛，中国石油部的最后一任部长，“中石油”公司的第一任总经理。卫留成，曾任“中海油”第四任总经理，后任海南省委书记。

20 世纪 70 年代末 80 年代初，当时的王涛和卫留成，都是石油部下属的二级单位负责人，年富力强。尤其是王涛，那一年他被张文彬和秦文彩紧急召到曾有中国石油“总参谋部”之称的涿州，参加由石油部挑选的旨在培养对外合作所需的“混合委员会”和资源评估委员会骨干力量的培训班。用他自己的话说，“是一次意想不到的回炉。”王涛是 50 年代的留苏专业人员，回国后一直在石油一线冲冲打打，那回他被部里通知到涿州参加培训，一见讲台上给他们上课的竟然是“老外”，王涛和 120 多名来自石油战线身经百战的精英们惊愕得以为自己走错了地方。听张文彬等领导作动员后，王涛他们才明白是怎么回事，原来从这一天起，他和他的这些长年打滚在油田的“油耗子”将要大开洋荤——与外国人打交道了！

“我回国近 20 年，光当局长也有 15 个年头了，这回好，改革开放，又让我们从头学起。”王涛和他的这些满身沾着油腥味的“学友”们兴奋不已。

“我在混合委，你呢？”

“嗨，你好啊，混合委、混合委，混混就会了嘛！我苦了，是评估委的，也不知这资源评估委员会是干啥的？”

学员们相互打趣着自己未来所学的专业。动员会上，经张文彬副部长一番动员和解释，王涛他们才恍然大悟：原来这资源评估委员会，是国际招标时业主国家为了对自己区域内的资源进行评估所设立的部门，其目的是为了与合作者进行最终的资源上的“讨价还价”。所谓“混合委员会”，是指对外合作项目中，中方与外方需要组织共同的管理层面的一个混合委员会。

“参加培训班的同志，都是各油田的一些领导和技术骨干，是经过部党组反复商议、慎重选择才最后确定的，你们是中国石油对外开放、走向世界的第一批突击队员，将承担我国的石油立法、与国外公司的合同谈判、资源评估、混合管理等重任，而所有这些事，过去我们谁也没有干过，也是国家的空白。你们的任务是：学好本领，准备与多国部队作战！”张文彬以军人特有的语言，向自己的属下这样说。

“这回我们要在海上真干了！听说‘洋鬼子’要领导指挥我们呀？”有人担心。

“张部长不是已经说了，我们的石油战略将向海上转移，大干是肯定的，而且是‘多国部队’参与干。这可不代表一定是外国人指挥领导我们嘛，要知道他们是我们请来的客人，是帮咱干。主人是咱！这一点不能含糊。”

“我说嘛，在我们的国土上，让我们做三孙子，这怎么成！”

“你这话也不全对。我们请外国人帮助咱在海上打井找油，是因为我们的技术、装备、管理经验及资金都不够。既然这样，我们就得虚心向人家学习，不存在谁当三孙子的问题！再说了，海上找油，你我都没干过嘛！为了国家找到油，你当一回三孙子又咋啦？”

“可不，人家是洋老师、洋专家，我们好好跟人家学点真本事才是！”那些日子里，学员们各种议论都有，但最让他们头痛的一件事就是学外语。

“学好外语，就好比当年我们跟小鬼子打仗一样，你得把枪法先练好！”张文彬用通俗易懂的道理教育他的这些扛钻杆的属下。有人还把秦文彩访美期间的一件轶事传到了学员们中间。那是秦文彩第一次与孙敬文、李人俊带团到美国考察，因为团员中许多中国石油人不懂英文，“老外”在滔滔不绝地介绍时，常常闭着眼皮想睡觉，唯独重任在身的秦文彩总是一本正经地睁大眼睛“听”人家介绍，后来“老外”对他格外看得紧——因为在中国石油公司代表团首次访美时，美国中央情报局实际上派了一位情报官，以“接待官员”的身份一直跟着中国代表团，这位情报官后来对秦文彩表现出格外的“热情”。一直到代表团离开美国前，秦文彩才知道自己被特殊看重的原因：美国人以为除了翻译外，他秦文彩是懂英文的。

“其实，我是真正的土八路出身，除了‘OK’‘哈喽’外，我啥都不懂。”回国后秦文彩自己这么说。

“哈哈……秦部长这叫不懂装懂，迷惑敌人啊！”

“是啊，首次交手，不懂装懂，还能对付一阵，但以后我们要天天与‘老外’打交道，再装懂，恐怕让人家卖掉了也不知道啊！所以，中国石油人要想实现海上找油的突破，学会些真本事，就要像我们当年在战场上跟敌人打仗一样，从这个意义上讲：学外语，就好比我们的钻工学开钻机一样，这是硬功夫！不好好学，就会吃亏、打败仗的！”张文彬用这样的话勉励学员。

“学外语，好比钻工学打钻！”这话在涿州石油勘探外事培训班上流行一时。

集训开始了，这些昨天还在自己的钻井队上想着自己的进尺，或在野外的沙丘上寻觅埋藏在茫茫地下的那些神秘构造的石油人，从天南海北汇集在一起，带着找油职业特有的激情和敏感，如同在大漠中寻找清泉一般，如饥似渴地拼命奔跑着、争先恐后地学习着所有张文彬和秦文彩他们布置的“规定动作”……这其中，英语是最直接和最重要的——所有未来与“多国部队”合作的事宜，必须掌握英语。这“掌握”可不是一般的“你好”“吃饭了没有”这样简单的会话，是国与国、是业主与承包商之间的交流与较量，甚至随时可能是毫不留情的交锋。

《石油英语900句》，这是集训班上每个学员人手一册的主要教材。这些过去在各油田为国家建立卓越功勋的石油人，现在他们在涿州为了与别人比试自己的本领，拿出当年铁人王进喜与1202钻井队赶超世界钻井纪录一样的劲头，老大一把年纪，却常常为争夺一张课桌、占据一块自习的有利地形而争得面红耳赤。

“老王，你的声音也太大了！能不能降下三个分贝嘛！”王涛的嗓门高，一旦读起来就震得旁人无法学下去，为此学员们联合起来，把王涛东赶西撵。无奈，王涛只好躲进唯一属于自己的地盘——那顶蚊帐内。

“好家伙，老王真行啊！你的白蚊帐咋都成了花蚊帐了？”有学员发现，王涛把一张张写满英文单词的纸条贴满了蚊帐内侧。

“这样方便嘛！你看，我躺下时，满天的英文就灌到我脑子里来了；睁开眼，又是满世界的English（英文）飞进我的视野……这叫强制英语学习法！”王涛摇头晃脑地在学员老哥们面前得意地介绍自己的学习窍门。

涿州培训班后来被王涛等学员称为中国石油改革开放的“黄埔一期”。当时有两项成绩让他们非常自豪：一是参加业务考试的87人，平均分数达到了89.8分；另一项英语考试，平均分数达88.8分。

“你们这批人，可以在中国开放后的石油战线上至少干上15到20年！”培训班结业时，张文彬挥舞着拳头，到现场为学员们鼓劲道。

“事实上，这批骨干在改革开放的这30年中，一直是中国石油事业的开拓者和领头羊，他们中不少人现在虽然退休了，但仍然在为中国石油做着有益的贡献，有的则在其他重要岗位发挥作用。”那天，秦文彩在办公室里，一边向我数点着当年自己麾下的那些将士的名字，一边深情地说道。

在长长的人名中，有一位的名字我比较熟悉，他就是卫留成，曾任海南省委书记。石油部出大官，这并不稀奇。20世纪80年代初时的卫留成，还属于“少壮派”人物。在石油部的那次“摸石头”的大学习中，他是被送到“西外”——西安外语学院进修的那一批。

“Do you go to school by bus or on foot?”第一堂课，外籍老师就向卫留成他们这批石油学员问了这样一句话，意思是：你们到学校里来，是乘车还是步行的?

什么?他在问我们什么?坐在课堂上的学员们一个个不知所措地相互看着，谁也不知道老师在说什么。

“卫留成，你不是说在中学和大学里学的都是英语嘛，你怎么也成了哑巴?”同是长庆油田来的吴中易、卢泰兴等悄声问卫留成。

“成天在山沟里钻，早还给先生了!”卫留成涨红着脸，瓮声瓮气地嘀咕了一句。

讲台上，那位外籍老师无奈地摇摇头。卫留成等人分明看到台上的老师在怀疑他们这批成年的中国石油人还能不能学会ABC……

“拿下!坚决拿下!”卫留成等油田人的心被刺痛了：咱中国石油人从铁人王进喜开始，什么时候在困难面前服过输?不就是26个字母吗?我们一个个吞在嘴里把字嚼都嚼碎了不是!

对，不就是26个字母!吞进嘴!嚼碎它!

吞进嘴!嚼碎它!——

卫留成和长庆油田的“西外”进修生们从此跟English较上了劲。那时可以借鉴的学习工具和课本极少，除了固定教材几乎找不到可以借助的其他英语书本。可是每天深夜，学员们发现卫留成总在被窝里叽里咕噜地干什么不安宁的事——秘密后来终于被发现：

“好家伙，你在偷听《美国之音》！”

“嘘——我是跟着练发音呢！”卫留成紧张地按住伙伴的嘴，让他千万别透露自己的“秘密”——那个时候，《美国之音》还常常被视为“敌台”哩！如果再往前推几年，谁偷听《美国之音》就可能被抓起来，甚至被扣上“里通外国”的特务帽子呢！

卫留成的方法很快被学员们效仿：他们先用录音机偷偷把《美国之音》的相关节目录下，然后慢速播放，一个一个单词地辨听、跟读，不懂就翻《英汉词典》……这方法后来几乎成了全体进修生的有效武器。不过，很快他们每人一本的《英汉词典》就被“蹂躏”惨了！

三个多月过后，卫留成奉命进京，到中国南海西部石油公司与英国BP公司联合管理委员会担任中方首席代表。当他上秦文彩处报到时，秦文彩差点没认出这位往日一向壮实的汉子，“你怎么换了一个人似的？”秦文彩心疼地打量着瘦了一圈的爱将，问。

卫留成腼腆地笑笑，只好如实招来：“都是‘疯狂英语’给整的！”

到新单位——南海西部石油公司报到的卫留成发现，在石油部党组的统一部署下，张文彬、秦文彩掀起的石油系统的“疯狂英语”之风已经到处在强劲地吹着——就说卫留成的新单位南海西部石油公司吧，就抽调了90名一线骨干，送到华东石油学院进行“疯狂英语”培训，且时间长达一年，是完全的脱产学习。

在渤海湾的另一个地方——山东龙口，中国海洋石油事业的另一个开拓者钟一鸣，则更加“疯狂”地做着一件事：创办“龙口大学”，分设“普及班”“强化班”“提高班”。

“为了提高学员的英语水平，我们要请外籍老师来授课。”钟一鸣指示教育培训处长左焕奎想法找“老外”来任教。左焕奎随即通过香港华安基金会，将泰勒博士与多尔夫妇请到“龙口大学”。

开课不久，突然有一天“上面”来了几个人，责问钟一鸣他们：“你们知道泰勒夫妇是什么人吗？”

“是外国人呀！”

“除了外国人还知道他们是什么人吗？”

钟一鸣他们被前来调查的人问得有些糊涂了：“不知道，我们只知道他们的英语水平高，他们是很好的英语老师。”

“错！他们还是基督教徒！”

“他们是基督教徒，跟我们请他们教英语有什么关系？”钟一鸣从鼻孔里哼地笑了一声。

“我们是社会主义国家，你们培训的石油学员大多是共产党员，共产党员怎么可以让基督教徒当老师呢？”

“笑话！我们就让泰勒博士他们讲英语课，教我们的学员掌握英语，他‘老外’爱信什么教碍我们啥事！”

“那……出了什么事，你们可得自己负责。”

“负责就负责！想吃猪肉，还管杀猪人是吃素还是吃荤的？真是的！”钟一鸣又气又好笑地目送走了来调查的人，对属下左焕奎说：“让学员们把嗓门拉大了，告诉全世界的人，我们是在学英语！”

“We are learning English.”（我们在学英语）

“……Learning English for our modernizations.”（我们学习英语为现代化建设服务）

老帅邱中健、邹明领衔“总参谋部”集体搬“石头”

在中国石油队伍里工作过的人，有两个人的名字可以说是无人不晓。他们一位叫邱中健，一位叫邹明。他们先后接受了我的采访。

邱中健，中科院院士，著名地质学家。他是被国家表彰的发现大庆油田的十几位重要地质工作者之一，而且还是勘探胜利、塔里木等重要油田的主要组织者与领导者。

邹明，曾经只身冒险从垂死的国民党手中，历尽千辛万苦运回 30 多万银圆到玉门油田，使新中国完整无缺地接收了中国人自己发现和开发的第一个油田。邹明老先生在旧中国时代就是“中国石油公司”的副总经理，他在新中国成立前夕为保护玉门油田立下了汗马功劳。

与邱中健一样，在中国石油对外开放的重要关头，是康世恩亲自点名邹明到涿州接受新任务的。

“老邹啊，‘文革’里您老吃的苦最多，我没有保护好您老啊……”那天，康世恩专门跑到石油勘探开发研究院，找到不久前才落实政策安排到这里工作的邹明，紧握着老友邹明那双皮包骨的双手，哽咽着说。

“哪能怪你呢？你也是泥菩萨过河，自身难保嘛！”邹明看着年龄相仿，却同样显得十分苍老的康世恩副总理，连声说道。

康世恩和邹明很早就认识，玉门油田就是康世恩从邹明手中接收过来的。后来，康世恩任西北石油局局长时，邹明是副局长。1950 年，康世恩从西北带着 9 个人到北京，参加组建燃料工业部石油管理局工作，邹明便是这 9 人中的一个。这位业务出身的老石油人，为人正直，深得康世恩的器重。在大庆油田会战时，是康世恩得力的后勤部长——主管会战的物资供应。

“邹老，现在国家要对外开放，与外国石油公司合作开发海洋石油。您老在旧中国时代就与外国石油公司有过诸多的合作经验。我知道，新中国成立时，大陆上留下的那些石油装备，基本上都是您老在二战时期到美国两年采购回来的……这回我们又要同美国、英国、日本等国家进行更大规模的海上找油合作。这活儿，除了您，基本上都没人干过，所以我特意请您老出山，给年轻人指指路！”康世恩是这样躬着腰恳求老友的。

邹明是个典型的旧时代的老知识分子，他见身居副总理要职的康世恩如此恳切，连忙应诺：“哎呀看你说到哪儿去了！只要世恩你认为我这只老牛还能拉一程犁，我就上！”

“好！老马出山，一个顶仨！”康世恩高兴地大笑起来。

就这样，邹明与邱中健等石油部老资格的专家，为了共和国新一轮的石油辉煌，不顾年老体弱，义无反顾地离开家人，离开京城，到涿州小城，在石油部对外合作的“总参谋部”挂帅，亲自领导一场全新的“石油多国之战”。

石油部缘何出了个“总参谋部”？这是因为随着中国石油对外合作项目的全面展开，自 1979 年 5 月开始，在我国南海、东海和渤海湾的两千多公里的海岸线上，突然聚集了来自美国、英国、法国、挪威、德国和日本等国家的十几个石油公司的物探石油勘探船只。一时间，飘荡着“万国旗”的“多国石油部队”在我规定的海域展开了声势浩大的“地震物探大战”。其如战场的情景令近海的中国人感到新奇与惊愕。新奇的是，大海的底下在不停的轰炸声中卷起阵阵滔天巨浪——地球物理勘探是通过地面爆炸引发的地震波原理所进行的一项技术工作，它是现代技术找油的主要科技手段。地震物探开始之后，需要对野外地震资料进行全面准确的分析和处理，这项任务繁重而艰巨，它既关系到中国石油对外合作项目的成败，同时更是发现我国海洋油田的根本。石油部为了获取外国公司在我国海域所进行的地震工作成果，组成了强大的技术队伍。在涿州建立了一个庞大的中国海洋资源评估委员会，邱中健和邹明这两位老将，被点将领导这支队伍。这个海洋资源评估委员会承担的责任重大，直接影响到整个海洋石油开发的全局，所以被惯于用军事论战的张文彬、秦文彩等部领导称为当时石油部对外合作项目的“总参谋部”。

“总参谋部”秉承余秋里、康世恩在20世纪60年代大庆会战时创立的“先生产、后生活”的原则，当石油部党组决定成立海洋资源评估委员会，便有人在涿州石油部物探局招待所迅速腾出全部房间，让给邱中健、邹明领衔的近200名精兵强将入驻此地。

一时间，小小的涿州物探局招待所，来也匆匆，去也匆匆，每天人声鼎沸，从1980年那个夏天开始，这里便再也没有安静过一天……

而此时，在我国沉静了几万年的广阔海域，一场空前的“多国部队的海洋之战”正进入白热化。20世纪80年代初的中国，许多地方的百姓还整天在喊着“提高警惕，保卫祖国”的口号，忽然有一天他们往大海近处望去，突然间发现了我“神圣不可侵犯”的海域怎么会飘扬起了外国的国旗？“当时有不少地方的民兵和人武部自动组织起来，正要对付这些突然冒出来的‘侵略者’，要不是我们及时与地方政府和武装部门取得联系，还真不知会出什么意外呢！”有位海洋石油工作者这样告诉我。

三十年后的今天，我们很难想象当时的国情与国民的心态：新中国经历了从被别人封锁到“文革”十年自我封闭的几十年岁月，我们的人民一直最看重自己的国土，祖国高于一切，已成为全体国民的统一信仰，谁越出一步，谁就可能被视为“卖国贼”。

“卖国贼”的名声可不是闹着玩的。

秦文彩等中国石油人在改革开放初期，没少被人这样骂过。什么叫忍辱负重？大概秦文彩最能回答这样的感受。

但像邹明这样的老石油人，当第一次因为自己参与同外国公司合作的工作而被人辱骂时，他真的愤怒了：如果我是卖国贼，为什么当年蒋介石和美国人千方百计想拉拢我和一批老石油人毁掉玉门油田时，我们要冒死保护它呢？别看邹明一辈子弱不禁风的身板，但爱国之心和干石油的骨气却是异常的硬朗。来到“总参谋部”，邹明老先生接受的是一项全新的工作——宋振明部长于1980年6月出访欧洲回来，就交给他一大摞英国BP公司北海油田的经济运算资料，说：“老邹，这一大堆洋玩意儿，我们代表团的成员都看不懂，你早年出国留过洋，看完后给大伙儿讲讲！”

“行，交给我吧！”邹明没有说第二句多余的话，便操起唯一的一台老式计算机，整整花了一个星期时间，总算把BP公司在北海的二十几个油田经济分析资料批复演算了一遍。

做完这件事后，邹明向年轻的部长提了个请求：“我们该有台像样的计算机了！西方国家的石油公司早在四五十年代就有了大型计算机，并能通过自己编程序进行经济运算了，可我们还在用简易的手工计算机运算，怕下一步会给国家大规模开展海洋石油勘探开发带来严重的滞后与阻碍。”

“老邹，你的想法正是我一直伤脑筋并且全力求得中央有关部门全力支持的一件大事！面包会有的！计算机也会有的！”宋振明部长还是当年指挥大庆会战时那样充满朝气，他那虎虎生风的性格深深地感染了邹明他们。

邱中健是整个“总参谋部”——资源评估委员会的“总参谋长”，他受副部长阎敦实的领导，直接组织指挥汇集到涿州的近200名石油精英，开始了一场特殊而艰苦的激烈战斗——根据各国公司所获取的物探资料，准确评估出海洋区域内的地质结构和石油储藏量，简称“资源评估”。它的目的和意义在于为下一步如何开发我国海洋石油提供精确的规划和数据，用军事用语来解释，就好比大决战前，“总参谋部”为整个战役提供详尽的作战依据和作战方案。

“对外开放前，我们中国的石油人基本上都是‘旱鸭子’，海洋上找油的经验几乎是零。与外国公司合作的大门一开，了不得呀！到涿州的头一年，我们就从外国公司手中接过了重达 130 多吨的原始地震磁带、报告和图件等，所有这些资料，都得靠我们这近 200 人的技术人员将它分析、解释和整理出来！现在想起当时的工作情景，我还觉得实在太难忘……涿州离北京也就一个小时的路程，可在那两年中我记得也就回过三次家，那也都是回部里开会顺便到家里看一眼就走了。大家都是一个样，一心想着干活！所有的人都明白：如果在我们手里耽误一天，国家损失的可能就是几万、几十万美元。那时候，国家还很穷，1 美元外汇，好比现在手上的 10000 元人民币似的。那真叫珍贵哪！”邱中健回忆道。

后来我从秦文彩和其他参与涿州“总参谋部”工作的同志那里了解到的情况，证实了邱中健的话。

“时间就是金钱”这句话，石油人要比普通中国人早感受了五年乃至十年的光阴。

与外国公司合作，最大的一个特点是“资本家”对效益和利益格外看重。你中国不是与我订了合同吗？既然订了合同，你就得按合同办。拖延一天，你就得赔一天的钱！中国人吃惯了大锅饭，于是也就常常不把时间概念放在眼里。可“老外”不干，你拖延没关系，可你得赔钱！成倍成倍地赔，而且还必须赔外汇！

中国石油人急眼了！延迟一天，“老外”得让我们赔几倍，甚至几十倍的钱，这咋吃得消？无论如何咱们不能让“老外”宰咱！不让人宰你就得拼命地干。

余秋里和康世恩两位政府副总理，那时都得常常要为国家少花还是多花几个外汇掐着手指算账，咱小小石油人还能怎样？

秦文彩有一天到涿州检查工作，老伙计阎敦实跟他开玩笑道：“我现在这儿快成‘西点军校’了，以后假如你管海洋石油，我的这些精兵强将，你可得全给我收编！”

秦文彩抱起双拳，笑言："那我在此先谢了！”

果不其然，秦文彩往物探局的招待所四楼、五楼扫了一眼，内心真是感动：大热天里，上百名国内可数的石油专家，拥挤在连台摇头电扇都没有的简陋楼房内，办公、住宿合着用，唯一的“好处”是，白天上班能穿“大裤衩”，深夜能在凉台上透透凉……

秦文彩听邱中健说，就是在这种条件下，他邱中健和龚再升、王善书等专家仅用两个星期，审完了平时需要一两个月才能审完的100幅构造图。“涿州的两年多时间里，我们真正做到了完全彻底、一心一意地工作，除了睡觉，连吃饭时大伙儿还常常端着饭碗研究讨论图纸，那种劲头，跟当年余、康指挥大庆会战的创业时期不相上下。”中科院院士邱中健在谈起涿州“总参谋部”的那段经历时，依旧激情澎湃。

“我再给你讲一件事。”邱中健说：有一天深夜，负责外国物探资料接收工作的陈泽芬，接到一份美国埃索公司的地震处理资料将于当夜11时到北京机场的电报，这份电报上说，所有空运的资料必须在6小时内从机场卸完，因为埃索公司租用的美国飞虎航空公司的波音747飞机，在北京国际机场停留的时间仅有6小时，超时将罚款，且数额巨大。

陈泽芬找到了物探局生产科的张志远。“这深更半夜的哪儿去找人找车呀？”张志远有些为难了。

“如果我们不能在6小时之内把资料卸完，不仅赔不起，而且在外国公司中会产生极坏影响。无论如何也得想法把车和人都找到！”陈泽芬一边擦着额上的汗珠，一边跟张志远说大道理。

“我明白了！”张志远一挥手，便转身消失在夜幕之中……不一会儿，在他的带领下，30多名生龙活虎的年轻人，连车带人齐刷刷地站在陈泽芬面前。

“老陈，人、车都齐了，现在听你指挥！”寒风中，穿着棉衣棉裤的张志远跑到陈泽芬面前来了个立正敬礼。

“你真有办法呀！咋一下找了这么多人？”

“这简单，我跟团委书记一说，他立马行动，这不都来了嘛！”张志远说得挺简单，可这支突击队能在短时间内毫不含糊地组织起来，并在之后的数小时内突击连续作战，其精神让目睹他们战斗的首都机场工作人员都感动不已。那是寒冷的深夜，重达 9 万多斤的 5 万盘磁带和资料，你得一箱箱小心翼翼地搬运，从午夜一直搬运到凌晨 3 时，25 辆卡车全部装满。机场地勤人员惊讶地问陈泽芬：“你哪儿雇了这么能干的劳务工呀？”

“哐当——”当张志远他们争分夺秒地卸装完货物的最后一刻，机场货运部的大门被无情地撞上了，机场货运处的广场上重新恢复了沉寂，耳边只有呼啸的北风仍在刮着……怎么只有我们这些人啊？30 多名刚才还汗水淋淋的小伙子突然感到冷清起来——冷！太冷了！

为了保护这 25 辆卡车的地震资料，他们像坚守疆场的战士，一分钟一分钟地等候着东方的黎明……5 时左右，或许是年轻石油人的精神太叫人太感动了，首都机场的几位地勤人员扛来两大桶热腾腾的稀粥，让张志远他们喝。

“香！”“暖和！”年轻的石油人都说这是他们一生中喝过的最好的粥！

“中国海洋的第一份资源评估报告就是在这种条件下大伙儿拼出来的。这个成果后来获得了国家科技进步一等奖，主要是为之后的国家海洋石油开发对外招标提供了必要依据。”邱中健说。

第八章 谈判一波三折

如果你以为对外开放把国门轻轻地一拉就可以高枕无忧，那未免太天真和幼稚了。

“从某种意义上讲，对外开放，尤其是它的进程，其实比自力更生所经历的还要复杂和艰巨得多。”经历中国对外开放初期过程的秦文彩体会深切。

许多中国人或许还没有这样的体会，世界上什么事最劳神？从事对外合作的同志会告诉你：与外国资本家谈判最劳神！“有时候，谈着谈着，我想杀死对方的心都有！”一位“老外事”工作者曾经对我这样说。他同时又说：“其实跟‘老外’谈判，一旦谈成之后，就是天大的事也变得简单又简单了。他们的办事方式是：谈判过程中寸土不让，毫厘不舍。但一旦在纸上签名画押后，你怎么个折腾都没有关系，只要不出合同规定就行。但倘若违约，你就得接受协议的条款，就是亲兄弟、夫妻间的一分钱账目，也必须算得清清楚楚。”

几十年生活在计划经济环境中的中国石油人哪儿干过斤斤计较的“买卖”，尤其是与国际资本家的“洋买卖”！

“第一次看外国公司拿来的合作项目的合同文本时，简直不能多看一眼，多看一眼，你就会发蒙……他们的条款搞得太细太细，细得甚至连上班从什么地方起步、到下班走哪条道路，都必须规定得死死的，如果你没有按条款规定的去给他们办，他就得罚你款。外国人的思维模式与我们很不一样，而且国际经济的合同条款文本，有时一个很小的具体事宜，他们也会拿出一本厚厚的文本，少则几十页，多则几百页，甚至上千页，别说通篇看完，就是让你看几页，也非得把你整头痛了不可。可你还必须一个字、一个字地看，而且必须看明白，如果稍稍忽略一下，你可能就掉进不知有多深的陷阱了……研究合同文本，是我感觉最头痛的事，但这又是对外合作中最重要的一件事，丝毫马虎不得。”秦文彩深有感触地向我吐露了十余年主持中国石油对外合作过程中最苦恼、最劳神的一件事。

“可以这样说，海洋石油开发中的对外合作，比任何中外合作项目都具有挑战性和艰巨性，因为除了双方利益外，我们头顶上还悬着一把利剑，它便是国家的主权问题。”秦文彩说，为这，他、康世恩、张文彬等中国石油人，在改革开放初期不知被多少人骂过“卖国贼”，然而因为中国共产党人的高度组织纪律性和党性原则在心中，他和他的同事们又为了不做“卖国贼”而不得不一次次地忍辱负重、义无反顾地坚持国家和民族的利益，与诸多外国公司展开无数艰苦而不懈的谈判与较量，这种谈判桌上、桌下的较量，有时甚至比战场上的相互厮杀还残酷、还残忍。“欲哭无泪，生不如死的滋味都尝遍了！”秦文彩坦言。

“但在国家的尊严和民族利益面前，你个人的委屈和无奈又能怎么样？你还得平静下来，调整好心态，捂住伤口，舔干血迹，重新振作精神，再去战斗和拼搏……”这就是秦文彩等第一批从事对外开放工作的勇士所练就的品质与修养。

外交家的智慧，石油人的豪气，中国人的尊严与友情，在对外工作中，你得将这些淋漓尽致地发挥到极致，越发挥到极致，你所获得的尊重与收获越将是最可喜可贺的。

进入合作开发第一轮的是法国和日本，中国政府之所以选择这两个国家，在当时既有业务上的考量，更有政治上的因素。在西方世界的对华关系中，法国一直与我国保持良好关系，人民共和国成立之初，戴高乐将军便奉行与我友好的外交姿态。与邻国日本的关系则要复杂得多。在改革开放初期的70年代末80年代初，日本政府尤其是以福田赳夫为首相的新一代日本政要顺应世界历史潮流，当他们看到中美关系有了改变之后，唯恐落后，便于1978年与我国缔结了《中日和平友好条约》。这一具有深远历史意义的友好条约，为中日两国间的经济合作扫清了障碍。但由于中日之间在近代结怨太深，尤其是在领海上的一次次海战和扯不清的分界线问题，极大地伤害了两国间的基本信任。

然而，当中国海上吹起强劲的开放东风之后，资源严重依赖进口、又一向看好中国海底石油资源的日本政府，听说中国正在与西方各国开展大规模的合作开发海上油田，实在坐不住了。时任首相的大平正芳亲自出面，通过日中友好议员联盟会长滨野清吾于1979年6月访华时传话给中国最高层，希望尽快就日中共同开发渤海湾石油事宜正式签约。其实中日就合作开发海上石油的事宜在这之前已经有过多次讨论，日本方面对这一问题的关注度、热心度远远超过欧美国家的石油公司，这是因为日本政府一方面出于国内外政治上的需要，从中日建交后就很想在对华问题上有所表现；另一方面则是根本的：如果中国海上石油开发成功，作为资源紧缺且仅有几百海里（1海里=1852米）的邻国日本，当然最期待获得一部分从中国贸易利益中分成的石油资源。日本方面因此下的功夫也很大。从1978年开始的一年多时间里，日方曾派过八个谈判代表团到中国与秦文彩他们进行谈判，并达成初步协议。最后形成的协议内容也是非常可观的，中国将渤海湾地区的渤南一带海面划给日本石油公司进行物探和以后参与招标开发，日本方面最终也同意拿出5亿美元作为日方对华石油的合资开发投资。

经过一番较量后，“搁置争议，共同开发”成为中日海洋石油开发的一项基本原则。当时的邓小平和日本领导人，其实是十分期待在钓鱼岛一带进行石油勘探开发的，但因为两国之间的争议无法解决，所以这一方案就被搁置了。但渤海湾的石油开发项目则一直在紧张的谈判之中。而关注这一进程的不止两国间的石油公司，两国高层领导同样十分关注，尤其是日本方面。1979 年，大平正芳访华前夕，为了能够争取到这项象征日中友好的“成果”，首相府就把共同开发渤海湾石油项目的签约事宜，作为访华期间两国领导人的一项重要内容。

由此也就有了滨野清吾托话给邓小平的事。这话是通过邓颖超和廖承志转达的。在滨野清吾与邓颖超和廖承志见面的第二天，邓、廖二人就联名给邓小平写信做了汇报。两天后，邓小平批示：请日本帮助开发渤海湾石油问题，请先念嘱有关同志迅速着手进行，以便在大平来时正式达成协议。

当时的中日两国间关系很好，中国方面也希望能有点实质内容为大平正芳访华时增加点友好气氛。再说，百业待兴的中国政府当时手头很缺钱，日本能一下出手 5 亿美元来同中国合作，也引起了邓小平的关注！就在这个时候，邓小平主持召开了一次由中共各省、自治区、直辖市第一书记参加的经济工作座谈会，会上他特别就利用外资问题做了专门阐述。邓小平认为，中国经济在发展，利用外资是一个极好的机会。

“因为这个机会太难得，这个条件不用太可惜了。第二次世界大战后，一些被破坏得很厉害的国家，包括欧洲、日本，都是采用贷款的方式搞起来的”。邓小平还举例算了一笔账：“我到新加坡去，了解他们利用外资的一些情况。外国人在新加坡设厂，新加坡得到几个好处，一个是外资企业利润的 35% 要用来缴税，这一部分国家得了；一个是劳务收入，工人得了；还有一个是带动了它的服务行业，这都是收入。”说完上面这些话后，邓小平进而道："有一个立足点要放在充分利用外资上，不利用太可惜了！"

平素从不讲过头话的邓小平，在短短的几百字讲话中，连续用了两个"太可惜了"，这是少有的，足见邓小平对外资利用的关注。

日本方面也抓住了改革开放初期中国领导人的心理，他们紧追不舍。张文彬、秦文彩等中国石油人因此在同欧美国家的石油公司展开一轮又一轮紧张而烦琐的谈判的同时，也在与日本方面不断进行商榷和谈判。

1979年12月，大平正芳首相访华第二天，中国和日本关于在渤海湾开发石油的总协议在人民大会堂签订。1980年2月，中日双方又就总协议遗留的油田开发问题签订了补充协议，而这之前的所有协议还不是正式合同文本。按照日本国的法律，还必须经过国会批准。日本方面对此高度重视，文本很快经执政党——自民党掌控多数席位的议会通过。

"我们的行动，有时还必须服从外交需要。"负责整个海洋石油对外工作的秦文彩说。

对外谈判的复杂程度有多难，可以举个例子告诉你：光形成正式文本后各自需要看清楚对方的文本表达，就得用一两个月时间。在中日两国间的协议文本形成后，秦文彩他们派往日本方面的专业人员去核对日文版协议文本就用了两个月时间，需要一个字一个字、一个条款一个条款地核对日文与中文表达上的含义。

1980年5月，中国石油公司代表团在李景新、赵声振、钟一鸣的带领下访日，就中日两国原先达成的合作协议的一些细节作最后的敲定。代表团到东京后，几乎每天向北京汇报。秦文彩等随时把握着大方向，坐镇总指挥的是康世恩。

当李景新、赵声振和钟一鸣突然接到国内发来要求中止谈判的电报时，他们简直惊呆了。

“什么事都与日本方面谈妥了，现在突然要中止谈判，怎么向人家交代啊？”代表团中有人发起牢骚了。任团长和副团长的李景新、赵声振和钟一鸣也异常伤感地互相看着，不知所措。

“马上给北京打电话，问问到底怎么回事！看看还有没有回旋的余地……”有人说。

“老赵，你打个电话去问问。”李景新对赵声振说。

一会儿，赵声振耷拉个头，有气无力地回来告诉大家：“北京方面说，一两句话说不清，让我们回去再说。”

一件重要的内容被突然取消，不仅震动了中日两国石油界的谈判人士，也同样震动了两国政界。原定的华国锋主席与大平正芳首相的签约仪式没有了，李景新他们的中国石油公司代表团成员也只好收拾行李，准备回国。

当李景新向日本国石油公司的德永先生辞行时，德永先生惊愕得直哆嗦：“这……李先生，这到底发生了什么事？”他问李景新，可李景新只能十分尴尬地告诉他一句话：“德永先生，我们会回来的。中国人是讲究信誉的国家，中日两国之间的石油合作也是一定要有的，这一点请你和同事们放心。”

话虽如此说，可访日的中国石油公司代表团成员们觉得心里堵得慌。回到北京的第一件事，就是打听到底为了什么！

秦文彩告诉他们：事是我汇报的，决定是康世恩副总理拿的。

为什么？于是秦文彩不得不把前因后果向他们讲述——

原来，在同日本国谈判的同时，秦文彩正在主持同法国道达尔公司的谈判。几乎是在李景新他们在东京与日本方面达成最终协议文本定稿的同时，作为中法谈判的首席代表秦文彩也正在细细地看着中法两国之间的石油开发协议的最后文本……

协议文本太厚了，足有上百页，密密麻麻的。秦文彩拿在手上，第一感觉就仿佛自己的心头一下压上了一块大石头，特别的沉，特别的闷。作为主管海洋石油对外合作的石油部副部长兼外事局长的他，深感责任重大。已经多年丢下烟卷不抽的秦文彩，为了这些难嚼的协议文本，他不得不重新当起“烟鬼”……在一支又一支烟的燃烧之中，翻着一页又一页合同文本的秦文彩一双浓眉越来越紧锁：这么个协议，我们中方的风险太大了！这样的合作，我们不知要损失多少呀！秦文彩越看越觉得合同文本里面的“名堂”太多、太玄！一句话：中国吃亏的地方太多！

不能签这样的合同！强烈的责任感和使命感，如一股热血，“噌”的涌至这位老战士的脑门。

“秦先生，你是不是有些不舒服？”法国道达尔公司首席谈判代表戴尔先生见烟雾中谈判对手的表情越来越阴暗，便悄声问道。

“我是看了这个合同文本后感到不舒服。”一向彬彬有礼，时而也会刀光剑影的秦文彩直言道。

戴尔先生一惊，说：“这个合同文本是经我们双方多轮谈判后形成的共识，我看不出什么问题。我们应该可以在上面正式签字了。”

秦文彩抬起炯炯有神的双眼看着对手，字字有声地说：“这确实是我们经历艰苦谈判得出的共识，但我认为合同文本里面的经济条款，还值得认真研究。”

“什么，还要研究？”戴尔先生差点没有跳起来，他在原地连转了几个圈，然后用不可思议的语气说：“我最怕你们中国人的‘研究研究’了。”

秦文彩点点头，说：“是的，我们中国人许多事情还不十分有经验，研究研究是必需的。”然后他站起身，拿起合同文本出了门，又回过身向戴尔说了声，“不过，戴尔先生别着急，我们会研究出结果的，请耐心一点。”

“我够耐心的了！”戴尔在心头狠狠地道。

秦文彩离开戴尔，回到家匆匆地吃了一点晚饭，然后夹着合同文本，直奔秦老胡同的康世恩家。不过他没有敲门而入，而是站在院子里的那棵海棠树前待了许久——毕竟是副总理家，人家也要吃晚饭嘛！

可以进去了！秦文彩听到里面有收拾餐桌的声音，便往里走。

“来啦！坐坐。”刚吃过晚饭的康世恩一见自己的亲密部下，便指指身边的沙发。等两人都坐下后，康世恩瞅了瞅秦文彩，说：“怎么今天的气色有些不太对劲？那个法国人是不好对付的谈判对手？”

秦文彩皱着眉头，没有说话。康世恩似乎意识到了什么，便对家人说：“搬两把椅子，我跟文彩到院子里坐坐。”

院子内有一丝凉风，比起屋里多了一丝凉爽。秦文彩便迫不及待地向康世恩汇报道：“我越发觉得与法国人合作谈判的工业合作模式必须重新进行思考。前几天，我们自己几个人交换了一下意见，韦布仁和唐昌旭等同志也是同样的意见，都认为这种工业合作方式，对我们不利！”

“为什么？”康世恩的眼睛一下瞪圆了。

“再谈下去，我们可能吃亏，吃不少亏。”秦文彩说。

“说，细细说一说。”康世恩知道，与法国进行的“工业合作”模式，参考了一些外国开发海上石油的做法，而且中法之间的谈判也有一年多了，秦文彩他们在最后时刻提出这个问题，一定非常关键。他认真地听着秦文彩所说的每一个字——

“今天我在谈判桌上，反复看了他们起草的合同文本中的经济条款。对他们来说，依据这种经济条款，不需要承担任何风险。他们只提供装备、技术、贷款、专家及技术服务，不管其勘探前景、效果如何，找到找不到油，他们都没有任何损失。可我们还必须按合同规定向他们偿还贷款、利息，以及装备、技术和服务等的全部费用。这种结果，对于他们所谓的投入，其实是能毫无风险地回收嘛！”

“等等，你再给我说一遍！”一边听着一边抽烟的康世恩被秦文彩如泉涌般的话语触动了，并想到一个更深的问题——同外国的石油合作项目，是不是都存在同样的问题。

秦文彩见自己的老部长完全理解了他的意思，便擦了擦已经淌到脖子的汗珠，又将在同法国谈判中发现的要害问题说了一遍。

“原来如此！”康世恩从椅子上站了起来，然后目光锐利地问秦文彩：“日本的总承包合同中是否也存在同样的问题？”

秦文彩点点头：“问题基本差不多，我看过同日本合作的协议文本。一句话：无论是法国人还是日本人，他们都是旱涝保收，我们呢，如果碰巧找到了油田的话，还有可能获得收益，但如果没有找到油的话，外国公司便会在投资完成后，把专家一撤，拍拍屁股走了。可到那个时候，我们还能往下做些什么呢？弄不好等于白忙活了几年，啥事都得从头做起！”

康世恩听罢秦文彩的这段话后，快速地在小院子里来回走动着，思考着……突然，他停下步伐，右手在空中用力一挥，命令道：“中止谈判！立即中止！”

“是！”秦文彩跟着站立起来，像当年接受发起进攻的命令一样坚决。

这一天晚上，北京六铺炕石油部的部长办公会议室的灯光一直亮到深夜。关于中外合作谈判相关事务的紧急会议正在这里召开，康世恩副总理与宋振明、张文彬、秦文彩、邹明等石油部领导经过紧急磋商后，正式做出一项关键性决策：中止正在进行中的海洋石油中外合作模式的谈判，重新选择最佳合作方式。

这一夜，东京收到的紧急电文就是这样产生的。

与此同时，北京方面的秦文彩在第二天也再次来到法国道达尔公司的谈判代表团所住的北京饭店。

上午10时许，焦急等待了一夜的法国代表团戴尔一行刚刚落座，便向桌子对面板着身子坐着的对手秦文彩来了个软中带硬的先声夺人："秦先生，想必经过一夜的研究，今天我们可以就合同文本草签了吧？"见秦文彩不动声色，戴尔进而道，"我们的谈判时间已经不短了，我们道达尔公司作为来帮助中国发展海洋石油事业的朋友，非常真诚地希望能够早日在与贵国的合作项目中进行实质性的野外工作，所以请阁下充分理解我方的一片诚意。"

戴尔说完，打开协议文本，正要往秦文彩这边推，"等等！"秦文彩伸出右手，轻轻将协议文本挡在了谈判桌中间，说："尊敬的阁下，十分抱歉，对于贵方起草的合同文本中有关经济条款与'工业合作'方式，我们中方经过进一步的研究认为不能接受。为此，我郑重地告诉阁下和代表团的先生们、女士们：按照现在的合同文本再继续谈判，已经没有必要了，所以就目前的情况而言，我们不可能签字。"

"什么？秦先生，你在说什么？你们懂不懂……"戴尔显然被突如其来的状况搞晕了，本想说："你们这些中国人到底懂不懂国际商务谈判的游戏规则？"可最后还是强忍着把这话咽了回去，但他无法接受秦文彩宣布的结果，于是咄咄逼人地说："秦先生，我们的文本内容，是经过双方多次谈判的结果，这并不是我们单方面强迫的，是这样吗？"

秦文彩点点头，示意恼怒的戴尔先坐下，然后说："这一点我并不否认。但尊敬的戴尔先生，我想阁下很清楚一点：既然它是谈判所得出的内容，那么只要双方还没有正式签字之前，是不是双方仍然可以提出自己的意见和想法？嗯，阁下您说呢？"

戴尔被秦文彩彬彬有礼的话给问愣住了，说："嗯，秦先生说得没错，协议没有正式签订之前，谁都可以发表建议和意见。"

"那好，我们中方正是基于这一点，所以提出了我刚才向阁下通告的意见。”这时的秦文彩说话的语气已经很平和了，他甚至微笑地看着戴尔，看着所有法国代表团成员。

秦文彩的微笑和眼神是真诚的，也充满了友谊。

然而一向唯我独尊的戴尔仍然无法接受，如同蒙受了奇耻大辱，他突然从包里拿出一大摞笔记本和资料，高声冲秦文彩说：“这是我们一次次双方谈判的记录和证据！你们中国人说话还算不算数？啊，算不算数？”

屋子里的空气顿时紧张起来。所有人的目光都聚到秦文彩的脸上……只见“国”字脸、板寸头的秦文彩，微微动了下身子，继而又如泰山般坐定在椅子上，一只右手伸向桌上的茶杯，然后只听桌子上响起“嘭”的一声，这声音不大不小，却让全场的谈判成员多少有些心惊肉跳。

“谈判就是谈判，是一个双方不断取得共识的过程。在没有正式签约之前，所有的文本和意见，都不具法律效力，难道颇有国际谈判经验的戴尔先生不懂得这一点吗？我在此可以郑重地代表中国石油公司代表团告诉戴尔先生及所有法国朋友，一旦在协约上签字后，我们中国人是一定会信守合同的！”秦文彩的话，字字掷地有声。

“可我们的工业合作模式，在世界许多地方都取得了成功，如非洲、中东等地方，我们的这种合作都是双方满意的。”戴尔已经变得不再那么恼怒了，但他仍然力图挽回些什么。

“中国就是中国，我们是一个年产 1 亿吨油的石油大国，我们不是非洲，也不是中东。”秦文彩不卑不亢地回应道。

中法谈判与中日谈判一样，都在同一时间暂时被中止了。这两波近乎覆舟的谈判历程，让外国诸多石油公司对刚刚开启对外开放的中国有了一个新的认识，同时也对秦文彩等一批从枪林弹雨中走过来的中国石油领导人多了一份敬畏。

不过，中国海洋石油的对外开放是走在了整个中国对外开放前列的，因而它在总设计师邓小平的统一领导下，并没有停止脚步，相反走得更快、更稳健。后来，康世恩和张文彬、秦文彩等人，对与法国和日本的海上石油合作进行了战略与战术上的调整，采用了分阶段勘探开发的风险合同，简单地说，就是合作双方共同承担风险责任，获利后按比例分配。这一方案最终在中法、中日之间取得成功。

中国和法国道达尔的协议正式签订时，日本方面得知后，强烈要求中日合作协议必须“第一个”签订。

“日本方面很讲究‘头彩’，所以他们提出这样的请求。”外事部门来向秦文彩报告。

这些日本人！秦文彩心里暗笑，可毕竟人家日本与中国的合作项目和投资要比法国的大得多，人家提出要获“头彩”也情有可原。怎么办？与法国签协议的事已经通报给道达尔方面了，总不能让人家难堪吧？

外交方面的事就是这么麻烦！石油部有关方面的办事人员感到一筹莫展。

这样吧，我们选择好同一天时间，在北京和东京同时签字，他们两个都是“第一”！秦文彩出了高招。

OK！法国人和日本人听了都很高兴，由衷地敬佩中国人的智慧及处事艺术。

当中国石油公司代表团分别将中法、中日海上石油合作项目的两份合同文本送达秦文彩手中时，这位“老八路”抚摸着两份厚厚的国际合作协议书，顿时浮想联翩……多少个日日夜夜，多少人为之呕心沥血，多少次谈判回合，秦文彩记不清了，他所想到的是辽阔的中国大海上即将掀起对外合作开发油田的惊天巨浪，这巨浪将影响中国的现代化进程，影响世界石油市场甚至全球化的经济态势……

然而，让秦文彩没有想到的是，就在这对外开放的重要时刻，中国海域上突然发生了震惊中外的“渤海二号”沉船事故。中国海洋石油开发和对外合作的前程又一次面临严峻考验。

第九章 “渤海二号”事故的冲击波

如今上了些年纪的人都知道当年中国海洋上所发生的“渤海二号”沉船事故，因为这个事故所产生的影响实在太大了。影响大的原因不仅仅是一下有 72 名石油工人遇了难；说它影响“太大”，是因为“渤海二号”事件来得不是时候。这起事故发生在 1979 年 11 月 25 日，这正值中国改革开放初始，尤其是中国海洋石油对外合作的最重要关头，所以它产生的冲击波远远超出了事故本身。

但不管用什么理由掩饰，“渤海二号”的沉没，说到底终归是一场极其严重的事故，一下子有 72 名石油工人一瞬间就丧失了生命，这本身也是中外工程事故中的大事故。“渤海二号”是中国在经济状况非常不好的时候，用巨额外汇从国外引进的先进设备，它被一阵台风刮翻后沉没在大海之中，国家领导人和全国人民都感到心疼。“渤海二号”事件发生时正值中国海洋石油全面向国际招标并已准备较大规模进行国际开发的时候，因此它成为摆在中国石油人，甚至是全中国人民面前的一个严峻的问题。到底对外开放、引进先进设备好不好，还需要不需要？因为当时国务院对“渤海二号”事件下的“结论”是：因石油部某些领导不按客观规律办事，不尊重科学，不重视安全生产，不重视职工意见和历史教训造成的。事故发生后，在各界群众中议论较多的还有一句话：世界上那么先进的设备，咱中国人会不会用？既然没有把握用好，就不要去浪费国家有限的外汇和人民的血汗钱嘛！

“渤海二号”给当时的石油部和中国石油人带来的冲击之大，

几乎是毁灭性的。首当其冲的是才上任不到两年的石油部部长宋振明被免去部长职务，其次是主管石油工作的国务院副总理、中国石油工业的主要组织者和领导者康世恩被记大过处分。这样的处分决定，在共和国历史上是前所未有的，尤其是对一向红旗飘飘、战功显赫的石油工业战线来说，这种打击是空前的，百万石油工人此时一下子在全国人民面前抬不起头来。自 20 世纪 50 年代开始，中国石油工人就是中国社会主义建设和成就的象征，他们从来没有哪一天、哪个时代不扬眉吐气，即使是在十年“文革”中，石油工人仍旧是走到哪儿就会香到哪儿。石油战线上有铁人王进喜式的英雄，有余秋里、康世恩这样的高官，据说从 60 年代开始，从石油战线出去当省市和中央各部领导的就有几十个，这在其他部门是不可能有的纪录。

现在，“渤海二号”事故出现后，红了几十年的石油人内部仿佛出现了一次大崩盘——而在这之前的中国石油人始终“团结如一人”了几十年。可现在的情况完全不一样了。连一向不用动一下声色就能指挥石油千军万马的余秋里此刻说话也没几个人听了，他本人也时常被人在报刊上不指名道姓地说三道四……

更可怕的是，石油战线内部所出现的崩裂，既令人心痛，又令人十分无奈。余秋里和康世恩生前曾经皆为此仰天长叹过。

“渤海二号”的“直接责任者”是马骥祥。这位张文彬、秦文彩的老战友、原“石油师”一团政治处副主任，曾转战玉门、克拉玛依、胜利、江汉、吉林和华北等油田，是一位曾为新中国石油事业立下汗马功劳的老石油人，于 1978 年 10 月底出任石油部海洋石油勘探局局长。由于当时海洋石油勘探局是在天津塘沽，他的党委书记一职是由天津市委任命的，那时的石油部下属单位受双重领导，业务上由石油部直管，人事和党委接受地方党委领导。“渤海二号”事件沸沸扬扬了半年多时间，最后的具体“责任者”便落到了马骥祥身上，他被判了几年徒刑。这样一位曾经在抗日战争和解放战争及中国石油建设中立过卓越功勋的“老八路”“老石油”被判刑，对所有石油人来说，其感情的伤害是严重的，甚至是残酷的。

“渤海二号”第二位受重大处分的是石油部部长宋振明，他是因此次事故受到内心打击最严重的一位。宋振明在1978年被全国人大任命为石油部部长，时年52岁，到1980年8月因“渤海二号”事件引咎辞职，任部长不足两年。宋振明12岁时就是抗日的“小八路”，跟随部队辗转南北，身经百战，敌人打在他腿上的子弹一直留在他的身上。1952年，宋振明作为人民解放军第57师13团的代政委，与57师全体官兵一起脱下军装，成为一名新中国的石油人。他高高的身材，气宇轩昂，讲话极富有鼓动性，是大庆会战中的一名杰出指挥员，始终站在最艰苦的第一线。宋振明是石油师中唯一一个从基层干部成长为共和国部长的标兵。52岁的宋振明出任石油部部长，既是邓小平等第二代领导人改革开放、改进干部制度，使一批有才干的年轻人走上党和国家重要领导岗位的一种象征，又是无数与他一起战斗和成长的新中国石油人的骄傲。宋振明49岁当上了石油部第一副部长，52岁当上了石油部部长，在他之前的石油生涯中，运气一直不错，深得余、康两位的重用和看好。然而也许是过去的经历太顺了，在他当上石油部部长后仅仅不到两年时间，“渤海二号”事件发生了……身为石油部部长的他，刚刚带着石油部31名部级领导和一批司局干部进行“西北万里行”回京，“渤海二号”就出事了，72条人命便搁在了这位年轻的部长身上。

宋振明在临终前，坚决要求回到他魂牵梦萦的大庆。“生为大庆人，死为大庆魂。骨灰埋大庆，何须立碑文。”在生命的最后时刻，宋振明让他的战友、工友们搀扶着，一一重游当年他与大家浴血奋战的大庆会战场地，并在病榻上写下了著名的长篇叙事诗《万人广场作证》——

我又一次回到
朝思暮想的大庆。
大庆的水甜，
大庆的人亲。
对大庆的一草一木，
我都怀有深深的感情……
忘不了
在大庆这块土地上，
我度过了十八个春夏秋冬——
油井、泵站，
洒下了我的汗水；
荒原、小径，
留下我的足印……
我将美好的年华，
全部奉献给你啊，
亲爱的大庆！
……

宋振明去世后，大庆万人为他送行。他的骨灰安葬仪式于北京八宝山革命公墓举行，江泽民、李鹏等中央领导表示哀悼并送了花圈。而他的大部分骨灰则按宋振明本人生前的遗愿，放在了大庆的 7 个著名会战纪念地，“好让我的灵魂永远伴着大庆”……可是我知道，在大庆举行的遗体告别现场，有人将余秋里送来的花圈扔了出去——他们怨恨在中央高层的余秋里没为宋振明说话。这事传到北京的余秋里耳朵里，这位石油部老部长、独臂将军含着泪花，对天长叹一声："他宋振明是我一手提拔起来的，我怎么能不为他说话呢？可是……"一个"可是"后面，有多少让这位身为中共中央政治局委员、中央书记处书记的老石油人内心无法说出来的委屈。而这份一直压在独臂将军心头的委屈，多少年后也没有释放出来。1994年10月31日晚，为新中国石油工业做出卓越贡献的余秋里突然一头栽倒在地，从此再也没有站起来……他在301医院的病床上整整躺了近5年，完全成了"植物人"。据他的秘书讲，在这5年中，只有亲人在他耳边放周恩来总理在1964年宣布"中国人民使用洋油的时期，一去不复返了"的那段录音时，老石油部长的脸庞会渐渐泛红、泛红……似乎有了某种意识。1999年2月3日，余秋里的心脏彻底停止跳动，终年85岁。

这些都是后话。

但"渤海二号"事故，真正承受最大打击和压力的也许要算康世恩。因为康世恩是新中国石油工业的奠基者和主要组织领导者，从出任燃料工业部西北石油勘探地质局局长起，他康世恩一生就没有离开过石油工作，而且一直处在决策与组织指挥的最高层。"渤海二号"事故发生时，他康世恩虽然不是石油部部长了，但他是国务院分管石油部的副总理，石油部一切重大决定还都应该与他有关。国家正在百业待兴的时候，石油工业对外开放处在最紧张和最关键时刻，"渤海二号"事故如同当头一棒打在了石油人的脑壳上，当然康世恩可以说是受冲击最重的，他受到记大过处分。让石油人当时极其焦虑的是：正处石油工业对外开放的战略步子下一步到底该怎么办的关键时刻，如果康世恩这棵大树倒了，一百万中国石油大军不成了散兵游勇了？

石油系统内部也有人起哄，一些过去在具体事上受过委屈，或者在提拔、分房、工资待遇等方面自认为吃过亏的人，这时也向某些已经受牵连的部领导发难……

石油部厂矿领导干部会议上，老部长余秋里出现了。他扫视着往常一向激情澎湃、气氛异常热烈，而今则变得死气沉沉的厂矿领导干部会会场，一改其往日侃侃而谈、慷慨激昂的风格，表情沉痛、语气凝重地说："同志们，这次'渤海二号'事故，造成这么多同志牺牲，我的心情是很沉痛的。作为国务院的一名成员，作为石油部过去的领导人，也是负有责任的……"说到这里，余秋里的语气十分低沉，会场上的气氛更是格外沉闷。

突然，主席台上发出一声怒吼："但，我们不能因为这件事影响了国家的石油工业！影响了我们石油人的光荣传统和革命精神！"台下的干部们被老部长熟悉的大嗓门一下又震撼了。

"我希望大家振作起来，要经得起考验！我也相信我们石油部的人是经得起考验的！"余秋里一转话锋，"现在我提四点希望：一要正确对待批评；二要勇于正视批评，决不可以护短，更不能文过饰非；三要充分发扬民主，广开言路，虚心征求和倾听各种批评和建议，绝不能再老虎屁股摸不得了；四要重振革命精神，奋发图强，埋头苦干，整个石油行业要从跌倒的地方重新站起来！"

"你们有没有信心？"余秋里收住话茬，目光盯着台下那些熟悉和不熟悉的脸孔。

"有……"台下的回音零零落落，有气无力。

"有没有信心？"老部长的目光里溅出了火星，声音提高了一倍。

"有！"台下的声音仍然不大，而且参差不齐。

"到底有没有信心？"台上，独臂将军露出了本相——那只当年在大庆使千军万马感受到力量和光荣的右臂又在半空中挥舞和呼啸起来！

“有！——”会场上顿时响起惊天动地的回声。

余秋里的脸色缓和了不少，嘴里嘀咕了一句：“这还差不多。”

但是“渤海二号”事故对石油人的打击实在太沉重了，并非是余秋里的一番鼓动所能彻底扭转的。最要命的是，此刻的另一位石油统帅人物——康世恩出了大事：1980年秋，正当秦文彩他们与数家外国公司就招标问题展开一轮又一轮谈判，等待最终拿主意的康世恩同志做出决策时，这位为新中国石油工业操劳了几十年的副总理突然时常感到膀胱难受和疼痛，在秘书和家人的多次催促下，康世恩来到301医院检查，结果令大家大为震惊：康世恩患的是膀胱癌。

听到这个消息，本已非常消瘦，又因近几个月承受种种压力而憔悴的康世恩，虽然脸上表情平静，可内心的痛苦在亲近人的眼里是可以看得出的——他躺下了……带着疲惫与痛苦，还有无数说不出的忧虑与无奈。

石油工业对外开放刚刚起步，这两年各油田的生产情况也开始出现了滑坡，有许多事情急着需要去处理呀！65岁的康世恩好像第一次感到了力不从心，可又心存不甘，然而医院的医生命令他“躺下”——他哪儿能躺得下嘛！

1978年和1979年两年，中国自产的原油实现了1亿吨，达到1.06亿吨。1亿吨，这在当时是中国石油生产的标志性数字。经过两年多的调整与改革，此时的国家经济正处在复苏时期，百业待兴，石油是必不可少的能源。从某种意义上讲，石油的产量将直接影响国家经济增长的速度，这是全世界发展中国家和发达国家经济发展的一条不变的规律，尤其是对于全球化经济形态下的国家经济而言。

1978年党的十一届三中全会后的中国，如同一艘以经济建设为中心的航船已扬帆起航，怎能出现石油能源的下滑？

然而，1980年的中国石油生产真的滑下去了，滑到了1亿吨以下。“渤海二号”事故的影响直截了当地显现。这可不是一件小事！国家总理着急了，政府的所有经济部门也跟着着急了！因为石油能源的下滑，就意味着其他一切经济计划指标要下滑、下调……这是绝对不允许出现的事！

邓小平着急，全党着急！

躺在病榻上的康世恩此时又多了这个更让他忧心的负担。石油是他的生命，石油生产是这位以石油为生命的中国石油领导者的荣誉——自他康世恩担任石油部门负责人以来的几十年中，石油生产就从没有下滑过，用石油部门人的话说，那箭头从来一直是往上升的。眼下国家的建设形势一片大好，而石油的生产却往下滑了，这可是关系到他康世恩和整个石油行业荣誉的大问题！是关系到国家经济发展的大问题！也是关系到党的中心工作能不能按计划前进的政治问题了！“如果石油生产完不成1亿吨，整个国家的经济就要重新作调整。”国务院领导的着急可想而知。

能不能保住1亿吨原油产量，这对当时的石油部是个严峻的考验，也关系到国家的经济命运和战略。

当时主持石油部工作的焦力人副部长向国务院领导提到资金问题对原油生产的影响。

国务院领导答复：“投资肯定不会比前一年多，这是国家全盘考虑的事，但你们的原油产量不能降到1亿吨以下，尤其是再不能往下滑了。要不然，影响面太大了！”

“如果要保证1亿吨，我们建议国家至少得给石油部增加5亿元的投资。”焦力人最后说。

“那好，你们的意见我拿到国务院常务会议上议一议，原则上我同意这个方案。”当时的国家总理口袋里也实在没有什么钱。一个工业部门增加5亿元投入不是小数目。然而石油能源对整个国家的影响面太大，焦力人的方案后来被采纳了。

可1亿吨的任务该如何完成，石油部上下心里完全没有底。

余、康二位石油老部长又聚到了一起。在病房内，余秋里握着老战友异常消瘦的双手，又心疼、又焦虑地说："老康啊，我们俩看来又像回到当年刚刚到松辽那阵子了。"

康世恩很勉强地笑了笑说："那阵子我们只知道往前冲，冲上去就有胜利的希望。我看现在也该拿出当年那股冲锋的劲儿。"

余秋里一听，顿时欣慰起来："有你这话，我的信心就足了！我看我们应该研究出一个年产如何保1亿吨的方案，1亿吨应当成为石油部今后三年的一条基本杠杠。从国民经济全局考虑，必须稳住这1亿吨，而且我看是能够做到这一点的。"

"我完全同意。我们就向中央汇报这件事。"康世恩重重地点点头，长期以来他与余秋里在重大问题和关键决策时总是不谋而合。"石油部上上下下这段时间士气不太足，少不了你老部长多去鼓鼓劲啊！"康世恩一手支撑在病榻上，一手握着临别的老战友的手，目光里流露着动情的乞求。

"我去，我要去的。你好好休养，石油上的事离不开你老康！"余秋里依依不舍地暂时惜别了老战友。不日，他以国家能源委员会主任的名义，再次到石油部开会和找个别人谈话，一一解释石油部保1亿吨产量的意义和具体做法。

一日，余秋里正在同一位老石油人谈如何争取保1亿吨的具体做法时，另一位老石油人悄悄过来凑在老部长的耳边说：有人到中央有关部门去告你了，说你坚持1亿吨油，是在继续搞"左"的一套。

"我这个人就是不怕得罪人，不怕告状！怕得罪人，怕告状，就什么事也干不成了！"余秋里大怒，右臂连连挥动起来。稍后，他说："现在有些人看到批'左'的，就把什么事情都说成是'左'的。其实他根本什么都没弄明白！"

其实在当时的情况下，即使像余秋里这样的老革命者和党的高级领导，也还不能全面地估计到"左"的思潮对社会和各界的影响力。1978年12月，党召开了十一届三中全会，明确了以经济工作为中心的大政方针，然而围绕走什么路、怎么走的问题，当时国内尤其是思想战线存在的问题和一些认识上的混乱及模糊观念还比较严重，"四人帮"影响仍没有肃清，社会上的坏人和别有用心的人依然不少，他们利用改革开放和解放思想初期所出现的一些空子，不断制造各种矛盾与斗争，社会上的诸多不同观念和意识的交锋这时也很激烈，甚至影响到高层。

1982年，正在全心全意主持能源委员会工作、部署全国石油和煤炭生产的余秋里，突然被总书记胡耀邦找去谈话，胡耀邦对他说：关于你的工作，有些变化。有一次邓小平同志讲，军队的一些同志向中央建议，要求让你回军队主持政治工作。所以中央决定让你当总政治部主任。"你有什么意见？"胡耀邦问余秋里。毫无思想准备的余秋里想了想，以惯有的坚定语气说："我听从党的安排。"就这样，离开军队24年，在石油战线建立了卓著贡献的余秋里，惜别他的那帮"铁人"兄弟们，到北京平安里的总政大院上班。上任那一天，他连军装还没有，是穿着"石油部长服"——中山装去的。虽然身在铁马军营，余秋里在繁忙的工作之余，每每总会想起中国石油事业。上任总政治部主任不久，他便与总书记胡耀邦到南线看望参加"自卫反击战"的将士。回来的路上，他向胡耀邦提出建议：去一趟胜利油田。总书记笑了："怎么，还没有从'油'里跳出来？"余秋里沉着脸点点头，说："是的，这几年石油部门因为'渤海二号'事故有些抬不起头，我想请总书记去鼓鼓劲。""好嘛，我们一起去！"胡耀邦高兴地说。

于是，这两位亲密战友临时改道，在回北京之前到了胜利油田。那一次胡耀邦到胜利油田视察的情景，许多人都还记得清清楚楚，他和余秋里站着一起高唱："黄河之滨，集合着一群中华民族优秀的子孙，人类的解放，救国的责任，全靠我们自己来担承……四化的希望，能源的责任，要靠我们打头阵……"后面几句是胡耀邦即兴改的词，两位老"抗大"这么一唱，把现场成百上千的石油人唱得热血沸腾，于是跟着总书记和老部长一起唱了起来，越唱越带劲，越唱越高亢，其情景激动人心，催人奋进。

这是余秋里离开石油战线后，首度在公开场合为石油工业鼓劲。这里也有个客观原因，当时胜利油田的负责人是曾经跟了他十几年的老秘书李晔。老部长知道"渤海二号"事故后自己在石油部说话的分量已经有限，他之所以这样做并选择在胜利油田这样做，纯粹是出于一片难言的苦心。

我们还是回到"渤海二号"事故影响下的中国海洋石油对外合作……因为这是一件中国对外开放最前沿的工作，所以它经历大风大浪也无可厚非，困难和阻力正进一步等待着秦文彩他们。

第十章　空前的“渤海论证会”

秦文彩是“渤海二号”事故后仅存的几个没有受到多大牵连的石油部领导之一。因为那个时候，他正忙于主持同几个国家的石油公司谈判而在各国间奔走。“渤海二号”出事几天后，他才从国外回来，所以后来在调查事故全过程时，他秦文彩属于极少数的没有直接责任者。但他也同样没有逃脱当时方方面面冲向石油部的种种压力，也深切感受到了一阵比一阵严峻、刺骨的“高处不胜寒”……

首先是想像往常一样从中央那里直接获得坚定支持的声音不太容易了。其次是下面的将士们出现了严重的动摇和怀疑，一些部门和单位甚至在开展对外合作工作时不再雷厉风行，而是在等待和观望。

国务院对“渤海二号”事故做出决定后，石油部连部长一职都空缺在那里，临时由一位副部长主持工作。这年秋天，秦文彩从解放军总医院回来的路上，心里堵得慌：他刚刚从康世恩的病房里出来，65 岁的老部长在吃了处分没多长时间便突然倒下了，经医生检查，发现是膀胱癌。

秦文彩的心在流泪。然而他无法停止和拉回已经驶出海岸的中国海洋石油对外开放的合作航船……与法国、日本和美国阿科等公司的合同已经签订，诸多国家的物探船队早已在南海、东海和渤海湾展开工作，如果因为中方的原因，这些合作受到影响和耽误，其产生的损失将是巨大的，而且必须由中方承担。秦文彩感到自己如泰山压顶……

他到部里，想找老领导、与他并肩主持对外合作事务的副部长张文彬，结果人家告诉他：张副部长奉上级批示，到南方“休养”去了——在“渤海二号”事故的调查和处理过程中，好几个石油部领导不是被安排去“休养”就是被安排去“学习”。

秦文彩忧心忡忡地来到主持工作的副部长焦力人办公室，在汇报完出国的考察情况后，问：“下一步对外合作怎么办？搞，还是不搞？”

焦力人望望老伙计——他们都是从玉门油田过来的老石油人，脸色颇为难看地说：“不要着急嘛！”

“还不着急啊？”一向以稳健著称的秦文彩，这一回实在沉不住气了，“噌”地从椅子上跳起来，来回在屋里打转道，“我们可是与人家签了合同的呀！”

“我只问一句：对外合作，干，还是不干了？”秦文彩有些失态地“逼宫”道。

年长几岁的焦力人，也是位“老革命”出身，他是玉门油田管理局第一任局长，是康世恩的老搭档，是比张文彬、秦文彩资格还要老的老石油人。受命于危难之时的焦力人看了看秦文彩，其实他内心十分理解，可作为特殊时期石油部“主持工作”的副部长，他也只能这样回答秦文彩：“放慢一点吧。”

“这……”秦文彩想说什么，嗓子里却像堵了一团棉絮，他的脸立即涨得红红的。当他再想张口时，却被焦力人用手势制止了。焦力人问：“外国公司现在还来不来？”

秦文彩不想说话了，便摇摇头，转身要走。这时，焦力人忙补充道：“签订了合同的，就按合同执行，未签的放慢一点啊！”

这一年的夏天、秋天及冬天，秦文彩觉得异常难过，也不知是天气原因还是其他什么原因，反正秦文彩觉得自己所在的石油部六铺炕，这一年的夏天特别闷，就是到了傍晚上南边的护城河纳凉也不见一丝儿风吹；到了秋天，没见什么树叶落地，就北风刮个呼呼的，贼冷……“其实是石油部上上下下的心都是凉的。以前抢着上船的人现在巴不得离海洋远远的，一听对外合作的事，谁都想躲。总之一句话，大家对海洋石油对外合作的热情降到了冰点。”今天的秦文彩回忆起那段往事，仍然浓眉紧锁。

其实，就在国务院正式做出对“渤海二号”事件的处理意见的同时，石油部紧接着面临的一场更大考验已经逼近他们——这就是秦文彩领衔上百名石油专家和从事海洋石油对外合作工作的一群“卖国贼”，同把他们推上“审判台”的“爱国者”们面对面交锋的“3·23大论战”，它的官方名称是“渤海论证会”。

一心一意想为国家石油事业杀出一条对外合作血路的秦文彩他们，无论如何也想不到他们呕心沥血、赤胆忠心地干了几年对外合作工作，竟然一夜之间突然被骂成是“彻头彻尾的卖国主义行为”，这种骂声延续到后来，渐渐演变成人们对整个石油部的工作及中国对外开放问题的全面质疑……真是山雨欲来风满楼。一时间，石油部上空黑云阵阵，弄得秦文彩手下的那些正在跟外国人谈判的外事人员都像做了什么亏心事似的不敢昂首走路。

“石油部的人不把人民的血汗钱当回事！”

“石油部里有卖国贼……”

秦文彩和石油部的人经常能在街头和公共汽车站台上听到骂石油部的声音。那时“小道消息”不比现在的手机短信传播慢，一个根本没影儿的事，用不了半天便传遍了京城，也很快传到了京城外的天南海北。

好人和坏人，全都在这场交锋中暴露了自己的真相，小丑和英雄各显着自己本色，一批不明真相和自以为是的“正义捍卫者”也跟着凑热闹，欲在其中捞一把政治资本。

导火线是美国纽约的一份中文报纸——《华侨日报》上的一

篇文章。这篇署名“魏宗国”的文章发表于1980年1月25日，距“渤海二号”沉船事件公布一个来月，距秦文彩他们与日本、法国和美国石油公司签订合作协议半年时间。

“魏宗国”——（“卫中国”的谐音），其文章一上来就充满着火药味，他出于对“卖国主义者的强烈义愤”，对石油部主持签订的中日两国之间石油合作合同进行了“剖析”，认为：“中日合作勘探开发渤海石油的协议中，中方和日方的报酬比例为1∶1.35；而国外的合同资源国和外国投资者的分成比例一般是4∶1。”显然，这么大的反差，说明了中国石油部和一些官员在与长期敌对中国的日本人“做着不可见人的勾当”。文章还以“事实”说明：“合同签订不到几十天，日本人已将其投资的7亿美元，连本带利赚回来了！”“魏宗国”据此预言，中国与日本的合作，将使中国在“15年的合同期内，损失1000亿美元”。

这还了得！当时中国人的生活水平非常之低，整个国家的国民生产总值才多少？1000亿美元的概念，在大家的心目中，是个不可思议的数字。

“石油部的人到底在干什么？他们是想把我们中国出卖给小日本啊？”中国人一听说有人要出卖国家利益，于是便有人立即起来呼应。这时候，中科院情报所有一位女士，借着自己的工作便利，当她读到“魏宗国”的文章后，出于“爱国主义”的强烈责任感，大有拍案而起的勇气，立即将自己的一腔“爱国热血”倾洒在笔端——她以万字檄文，向中央领导反映石油部的“卖国主义行径”和“铁的事实”。信发出的时候，还附了《华侨日报》“魏宗国”的那篇文章。

什么是检验真理的标准，改革开放到底是爱国主义还是卖国主义等一系列问题，在当时的中国社会里，我们似乎可以听到各种不同的声音，这些声音尽管十分嘈杂，但它对刚刚从“文革”

中走出来的各界人士，都会产生不同的反应。

什么是社会主义？什么是有中国特色的社会主义？社会主义能不能搞市场经济？与外国资本家合作做生意到底是什么性质的经济形式？……所有这些既是理论问题和认识问题，同时又是摆在每个人面前的实际问题。人们需要对它做出正确的判断，而当时各种正确的东西也因为它处在初级阶段，也存在很多不尽如人意的地方。相反，那些错误的甚至是反动和阻碍四个现代化进程的东西反倒容易迷惑普通干部和人民群众。

对“魏宗国”和中科院那位女士的“爱国主义”行为，呼应的人很多，加上石油部“渤海二号”事件的出现，“卖国主义者”被无情地“暴露在光天化日之下”。

秦文彩、张文彬，当然还有康世恩，他们都是被人背后谩骂为“卖国贼”的代表人物。

中科院那位女士的那封信一路过关顺利地走到中共最高层手里，最后到了邓小平的办公桌上，这说明了一点——谁也不敢轻易放掉石油部那么大的一个“卖国集团”。

这回轮到邓小平沉思了：是啊，这一阵子社会上对于改革开放说三道四，讲什么的都有，其中在利用外资和对外开放问题上暴露出的是爱国主义还是卖国主义的争论，异常激烈。

什么是爱国主义？什么是卖国主义？什么是真爱国主义，什么又是假爱国主义真卖国主义呢？所有这些问题一定要让我们的人民认识和了解清楚！

在搞清楚这些问题时，要防止“左”的东西，同时还要防止右的。总之，讲改革开放、解放思想，都要从实际出发，实事求是。

邓小平静坐在办公室的沙发上，将那封信和“魏宗国”的文章搁在一边，然后点上一支“大熊猫”，开始了思忖……许久之后，他拿起一支红芯铅笔，在信的上端重重写下一行批示：秋里、谷牧同志：请你们约集一批专家，好好论证一下。

邓小平批示的执行者应是时任副总理、主管石油工作的余秋里。他在接到邓小平的批示同时，也见到了时任国务院总理的批示："秋里、世恩同志，此信希给予重视。海上石油开发，即与外国合作方案，应认真组织专家进行可行性研究，并注意听取不同意见。"

那一段时间，余秋里心情非常不好，老搭档康世恩已经公开吃了"记大过处分"，而且被查出癌症倒在301医院，石油部宋振明部长被撤职时常有人将各种怨气怨言传递到他余秋里的耳朵里，而报刊上公开的和不公开的指名道姓地点他余秋里的也已经很多了，似乎石油部成了一个"卖国贼"的大黑窝，他余秋里就是这个"卖国贼大黑窝"里的"总后台"。

"有人就这么说你！"余秋里的子女中就有人对他这样说。

每每此时"独臂将军"都会大发雷霆一通："他们知道个屁！我们石油部要有卖国贼的话，中国就不会有大庆油田、胜利油田了！早就让帝国主义踩在脚底下了！"

但是在外面、在工作场合，余秋里仍然保持着副总理和老将军应有的风度，他冷静地思考和应对着眼前的艰巨任务和风雨飘摇的海洋石油对外开放之航程……他相信自己的老部下康世恩、张文彬和秦文彩他们不会做出不利于国家和民族的事，更相信广大石油工人和石油部的干部们是经得起考验的。

"文彩，你们要认真准备，做好汇报，阐述你们的意见、观点。因为这个问题很敏感。我们要认真研究，要自己心中有底，看看对在什么地方，错在什么地方。还有哪些地方有问题，一点也不能马虎和含糊。"余秋里很快把秦文彩叫到能源委的办公室，及时作了布置和交代。

一起参加谈话的还有能源委副主任杨波同志。他补充道："这次证论，来头不小，你们要充分重视。到时候，要讲出为什么要对外合作，那些项目是怎样批准的，都要讲清楚！"

"是！"秦文彩坚定地向两位领导保证道："回去马上着手准备，一定全力应对这次大辩论、大论证。"

"文彩啊，老康病了，这一段时间你的担子比较重，一方面要有充分的思想准备迎接各种风雨和挑战，另一方面该做的事情也不能因此耽误，四个现代化的步伐是不会停止的，相反会加速前进，所以我们石油战线不能拖国家的后腿，你要和同志们多吃点苦了！"临别时，余秋里将有力的右手与秦文彩的手紧握。

"请老首长放心，我们一定不辜负您和党中央的期望！"秦文彩再次保证道。

离开余秋里和杨波后，秦文彩便回到石油部，及时向党组作了汇报，随后立即组织参与中日谈判的有关人员李景新、赵声振、钟一鸣、邹明、李秉铨，以及外事局主管条法合同的尤德华、唐昌旭、孙淑君等同志开了一个紧急磋商会，在传达中央领导批示的同时，布置了相应的论证准备工作。

"想不到辛辛苦苦为国家干了那么多事，现在我们反倒成了卖国贼！……"有人一听问题的严重性，发起了牢骚。

"这当口不是出怨气的时候。这场辩论不仅关系到我们海洋石油对外合作的工作，而且对国家的整个对外开放都将产生重大影响，大家不能有丝毫懈怠，各自回去好好准备吧！3月23日，我们这些'被告'将集体亮相！"最后，秦文彩从座位上站起身，目光异常严峻地扫了一眼所有准备投入辩论决战的爱将们……

"希望你们有出色的表现！"秦文彩说。

没有人回应他的话，但属下的表情告诉他：石油部正面临生死攸关的时刻，我们谁也不会轻易被人踩死、唾骂死！

1981年3月23日，一场声势浩大、阵容豪华、气氛异常严肃的论证会，在北京六铺炕的石油部大楼五层会议室如期举行。

历史有许多解释不清的巧合：三年前中央领导集体参加的那次决定中国海洋石油对外开放重大决策的汇报会议，也是在3月下旬召开的。

所有答案都会在客观的和铁的事实面前获得结论。

前面说到，此次论证会的阵容之豪华是空前的，原因有二：一是参加的单位多，除了石油部，还有中国科学院、中国社会科学院、国家计委、国家经委、国家科委、全国人大法制委、中共中央书记处研究室、地质部、财政部、外贸部、外交部、国家海洋局、中国银行、中国贸促会、中国地质学会、中国地球物理学会，以及新华社、人民日报社、光明日报社等24个国家部委及主流媒体单位参加；二是云集近百名国内顶级专家，主要是从事石油和地质工作的专家，以及经济、法律方面的专家，他们中包括为新中国石油事业做出卓越贡献的黄汲清、张文佑、顾功叙、翁文波、侯祥麟、阎敦实、关世聪、翟光明、邹明、邱中健等。

会议的主持人是江泽民同志。那个时候的江泽民是国家进出口委员会副主任，这个论证会是中央决定由进出口委与能源委一起主持召开的。另一位主持人是杨波同志，石油部人对杨波比较熟。

第一天的会议由江泽民主持宣布开始。随即，身兼能源委主任的余秋里副总理作了简短讲话——此刻的余秋里虽身为国务院副总理，但论战的另一方早已私下里把他列为了“怂恿和指使石油部进行卖国行为总后台”的角色，所以余秋里非常识趣地在讲了一番官话后，很快就把论证会的主导权交给了江泽民和杨波，自己离开了会场。

不过，余秋里作为国务院领导，他的开场白说得还是非常有力的。他说：“勘探开发海上石油，是中国石油工业发展的一项重要战略，是党中央和国务院的决策，中央对此极为重视。这次论证会，应在经济、技术方面充分论证，解放思想，实事求是，研究新情况，解决新问题，目的是搞好我国海上石油勘探开发的整体工作。”

余秋里走后，秦文彩注意到，本来火药味就很浓的会议现场，一下又显得气氛更加凝重与沉闷。令他感到有些不舒服的是，那个写信告到邓小平那儿去的女士，今天显得十分得意，眼睛不时地在现场到处寻觅和探索什么。而新闻单位的一些记者仿佛也把她当作了“英雄”，不时地走过去与她交流和交换联系的电话号码。“沉住气，现在我们是‘被告’呢！”秦文彩暗暗告诫自己。当他把这种告诫的目光转向坐在自己身边的赵声振、钟一鸣等人时，反倒觉得有些好笑了：因为秦文彩看到赵声振、钟一鸣他们个个比自己更加正襟危坐、神情严肃，还真有点儿“被告”的样子。

“哎，用不着这样，我们是庄严陈述的！没什么了不起。”秦文彩胳膊肘和目光并用，向自己的战友们送去力量。

顿时，他看到赵声振、钟一鸣等人的脸上露出一丝宽慰和充满胜利信心的微笑。

现在，杨波接过余秋里的话，就此次论证会的缘起和必要性，以及整个论证会的议程作了大致的安排和说明：会议可长可短，一个目的——各方畅所欲言，把各自想了解和表达的都说出来，要本着对国家、对人民高度负责的态度把会议开好。

“大会发言现在开始，首先我们请石油部副部长、主管海洋石油对外工作的秦文彩同志就石油部对外合作的相关问题发言。”秦文彩听到会议主持人在点自己的名了。

这是预先就知道的事。作为主要“被告”，秦文彩必须首先代表石油部作一个总体的发言。而他的发言稿，是几位参与对外合作的同志共同起草完成的，当然也经过石油部党组主要负责人审阅并同意。秦文彩知道，这一次发言意义非同寻常，首先要回答骂他们“卖国贼”的那些人提出的问题，更重要的是要用事实来证明党中央和邓小平同志主张的中国石油对外开放决策的正确性，他们已经做的工作是完全符合国家利益、符合人民利益的，以及他们是怎样与国际海洋石油开发的通用法则与做法接轨的。秦文彩深知自己肩上的责任……

“现在，我代表石油部发言。”秦文彩从座位上站起来，一开口的这十个字，说得简洁又掷地有声。当时在许多人眼里，石油部差不多已成了“臭狗屎”的代名词，但秦文彩现在要通过自己光明磊落、气吞山河的形象和客观事实来为中华人民共和国石油部的真实形象雄辩。

“……中国海洋石油的对外合作，对中国主权没有任何损害。合同区块划分大小，都是由我们主权国来决定的。合作区块的主权永远属于我们中国！”秦文彩发言最前面的这一段话，回答的是关于与外国石油公司合作勘探开发的区块主权归属的问题。这是针对那些把石油部按照区块划分海域同合作国石油公司进行勘探开发说成是“出卖主权”说法的正面回应。

之后，秦文彩从八个方面，就中方与外国公司合作勘探开发海上石油是否吃亏、合同主要内容和具体操作等问题，一一作了详细的阐述。他的长篇发言，简单地归结为：

——勘探期内，不论有无商业性油田发现，全部勘探费用由日方（或其他外方）独自承担。

这么好的买卖有什么错？会场上，有人已经开始在私下里讨论和交换意见了。

——双方投资购置、建造而形成的固定资产，最终归中方所有。

那是用人家的钱建起来的东西，有的肯定还是比较先进的设备和装备，我们少花钱就能得到它，这是一桩便宜买卖嘛！有人轻轻拍手叫好。

——油田从开始商业性生产之日起，无论成本高低，也不管盈利多少，首先提取年产原油的42.5%作为中方固定留成。

嗯，这一条得细细研究，42.5%是多还是少呢？听听再说。

——所发现的油田建成并进行商业性生产的两年中，中方可以接管操作权，操作费按年产量的15%由中方包干。

一旦发现了油田，就把操作权拿回来，这很重要。应该说这做法很好嘛。

——油田在投产后的15年内，日方可获得年产原油的4.8%作为投资回报。

15年？4.8%？是多还是少了？不过，人家花了好几亿美元来帮我们勘探开发，风险是很大的。如果没有发现油田，所有投资都得扔在海里。找到油田让人家获得一定的回报这很正常，而且人家来投资本身就冲着要赚点钱、占些小便宜的嘛！我看这条没问题！

——回收双方的投资和利息，其年额度不能超过年产原油的37.7%。

这又是一个什么概念？噢，就是用原油来抵偿投资方的投资与利息，可以嘛！我们就是因为国家穷，没钱，才找人家来合作嘛！国际惯例应该是多少？听听，听完再问问。

——合同期内，每个油田的累计采出量，不得超过整个油田储量的85%；其余的15%归中方所有。

嗯，这规定好。如果合同偿还期的15年内把油田的油都采完了，不等于为别人开发了嘛！留出保底储量是主权的体现。好！不过15%到底是多还是少了？

——油田建设开发投资，中、日（外方）的投资比例为

51% ：49%。中方的投资，原则上由日方（外方）提供低息贷款。如中方拥有自有资金，也可以不用日方（外方）贷款。

对嘛！一旦油田建设开始，我们是大股东嘛！中国就是现在穷，穷了你就得让点利给人家。我看这些都是很好的做法嘛！

可不是，哪像那些人传言的是卖国行为，更没有丧失什么主权嘛！

我从一开始就不相信，堂堂中华人民共和国石油部，怎么可能做赔本的买卖？再说，他们的每一个项目都是经国务院批准的。要说在同外国公司的合作中，有没有个别人想占点小便宜，我不敢保证，但谁想说石油部的人都是“卖国贼”，他们干的都是“丧失主权”“为外国赚大钱”的话，打死我也不相信！

“不相信！我看那些说三道四的人是别有用心。”

“哼，邓小平刚刚给他们一点好脸，就不知道自己是谁了！骂别人是‘卖国贼’，我看她自己就不是什么好鸟！”

“呵呵……轻点儿，别让人家听见了。”

“听见了咋？我敢当着她的面骂死她！”

秦文彩在台上一条条、一句句陈述的时候，台下已经有人不停在窃窃私语。然而再看看另一方也不含糊，他们（她们）一个个不时瞪大眼睛看着秦文彩，不时又拿着笔在纸上“唰唰”的写着，并交头接耳地互相鼓着劲，全力准备着进攻……

“下面，我想用一些具体的数据和事实，来回答《华侨日报》上‘魏宗国’一文中提出的那些问题。我要在这里严正声明的是，‘魏宗国’的这篇文章中所列举的数据几乎没有一个是符合事实的，我可以负责任地说，他的文章是对我们中国海洋石油对外合作工作的客观事实的严重歪曲！”

论战正式开始了！当秦文彩阐述完中日两国合作条款的基本内容之后，他稍稍停顿了片刻，目光炯炯地扫视了会场一眼，然后几乎脱开稿子，开始了他对《华侨日报》“魏宗国”文章的一一反驳——

“首先我想指出的是，魏文所说的‘日本在15年内，享有石油出产的42.5%’，是完全不符合事实的。按照合同，一旦找到油田，在原油总产量中，我方享有42.5%的固定留成油，还有15%的操作费包干；而日方只有4.8%的报酬油。至于其余的37.7%的原油，合同中也写得清清楚楚，是中方按照国际市场的价格出售给日方的——特别要说明的是，我们这样做既得到了国务院的批准，同时又是根据国际油价基本是在不断涨价的情况来确定的，所以说它的出售定价，是根据产油时的国际油价来确定的。这既合理，也总体上有利于我们这一方。至于为什么要把37.7%的原油卖给日方，我们在合同里也非常清楚地写明白了，它是用于偿还我方因投资建设和开发油田所需经费产生的贷款和需要支付的利息。一旦偿还完毕建设投资贷款和利息后，原油销售收入完全归中方所有。在这一点上，‘魏宗国’的文章混淆了基本概念和基本事实。”

“其次，魏文中说‘中日协议中石油产权的报酬比例，双方几乎高达1∶1.35’，这完全是没有丝毫依据的无稽之谈。下午，我想请诸位认真看一下我们与日方签订的合同文本，便知真相。在此，我想先向大家说明一下，按中日双方签订的合同规定测算，扣除双方投资的本息后，中方与日方的净收入比例平均为9∶1，如果是发现了高产油田，这个比例可以达到13.9∶1；对于产量低的油田，其比例也可保持在8.81∶1的水平上。”

“你们问世界其他国家同类的石油合作合同的比例是多少？我可以告诉你们：大约在4∶1的水平。也就是说，资源国和投资合作商之间的分成比例一般为4∶1。请听清楚了：我们同日方签订的分成比例的平均水平是9∶1，高出其他国家一倍以上！”

“再次，魏文中讲到的所谓的日方‘不到十几天，7亿美元的投资已连本带利全部收回’，则更是违背基本事实的。按照合同规定，日方在渤海湾的勘探开发投资远不止7亿美元，且按照现在的合同规定，日方想收回其基本投资最少也得7年，怎么可能在十几天内收回投资呢？魏文的那种说法，不仅完全不符合事实，而且在国际海洋石油合作开发史上也从没有这种先例，几乎是绝对不可能的事。不知是‘魏宗国’先生缺乏这方面的基本常识，还是有意捏造出这样的天方夜谭！”

“呵呵——”秦文彩听到下面已经有哄笑声了。

“最后我想指出的是，‘魏宗国’的文章中说日方在收回投资后，‘所得到的将是源源不绝的免费原油供应，是价值千亿美元的石油资源’，这更是完全没有根据的。对于所谓的‘价值千亿美元的石油资源’，一是石油资源永远属于我们资源国所有；二是千亿美元的石油资源，意味着我们在渤海湾要发现相当于7个大庆油田，或者说有两个欧洲北海油田的资源量！我和我的同行对渤海湾再乐观的估计，也没有想过可能有7个大庆油田或两个北海油田这样简直是不可思议的伟大发现！”

“哗——”秦文彩结束讲话，台下顿时响起热烈掌声。

有几个人的脸色特别难看，其中就有那位女士。

“谁对秦文彩同志的发言有异议或问题，可以自由提出来。”杨波清了清嗓子，示意会场安静。他把目光移向以那位女士为代表的“原告”一方。

“我想问：石油部在不同地质部商量的情况下，便同外国公司签订了协议，这样做是否超过了石油部管理的范围？”早已耐不住的那位女士站了起来，对着秦文彩责问道。

“海洋石油的对外合作，是党中央、国务院的决策，石油部只是作为职能部门在履行自己的工作职责。再说，地质部孙大光部长是知道我们的工作的。”秦文彩站起来回答道。

“你们是不是在搞租让制？”另有人提问。

“不是。”秦文彩回答得干脆，“我们搞的是风险合同。它是一种中外双方平等互利的合作模式。而且，即使是在合作区块内，我们中方也保留着打井的权利。”

“南海对外合作，你们有没有同总参商量过？”有人提出一个军事保密问题。

“是的，我们不仅与总参有过多次的沟通与协商，而且国务院在做出相关决定时，总参的同志是参加了会议的。”

“听说外国公司都有自己一套非常有经验的谈判专家和经济学家队伍，你们都是新手，谈判能不吃亏吗？”

“这位同志提得很对。确实，我们在对外合作中深感自己的经验不足，特别是对一些专业的法律和条款问题，有时会被搞得头都痛，但有几点可以保证我们在谈判中少吃亏、不吃亏：一是我们的同志虚心好学，包括我们的副总理康世恩同志，用他言传身教的作风，带领我们从不懂到懂、再到完全能懂并一直到熟练；二是我们为了避免吃亏，尽量地多选择几种方案进行比较，从中选择更有利于我们的最优方案；三是我们也请了第三方有丰富经验的国际专家帮助我们一起工作；第四点最重要，是我们参与对外合作的同志，他们都是石油部百里挑一的好同志，他们对国家、对党、对我们的人民忠心耿耿，勤劳机智，工作一丝不苟，并且不断总结经验教训，十分注意在实践中提高自己的能力，所以到目前为止，我们把与外国公司所签订的合同给国际上著名的石油公司和专家们看后，他们一致认为我们中方不仅没有吃亏，而且应该说是极有利于我们中方的，属上佳或最佳的方案……”

再一次热烈鼓掌。

“我记得非常清楚，那九天半的时间里，我们不是在五楼的大会议室进行集体论战，就是在下面的小会议室翻阅资料，准备迎接挑战。”现年75岁的邱中健院士站在他的办公室，推开窗户，指着中石油西南方向的那栋楼，给我讲述约三十年前的那次大论战。

“很热闹，有人说我们是卖国贼，很好笑，怎么可能呢？当时从事海洋石油领导工作的一些同志，都是从旧社会过来的人，像余秋里、康世恩和张文彬、秦文彩他们，都是打过仗的人，像我和黄汲清、翁文波这样的旧知识分子，在新中国成立之前，都吃过帝国主义和日本人的苦头，怎么可能做出卖国的事嘛！”邹明在回忆起那次大论战情景时，依然颇为激动地对我说。

“渤海论证会”，也称“3·23论证会”，是中国对外开放初期一次规模最大、声势空前、内容广泛的大论战。它涉及主权问题、经济问题、外交问题、军事问题和劳资问题等方面，几乎涵盖了与外国企业合作经营的所有内容，是一次为中国全面对外开放作先导的理论与实践的大辩论、大交锋和大总结，正如后来秦文彩和江泽民等同志在向中央财经委领导小组汇报时，中央领导充分肯定的那样：渤海石油勘探开发论证会开得好，很有必要，而且通过这种由多个部门和众多专家参与的集体论证形式，有利于增进对国家大政方针决策的正确性和可操作性。同时，中央再次充分肯定石油部所进行的包括渤海湾在内的海洋石油对外合作项目的进展，总体是好的，对我方是有利的，与外国公司签订的合同没有吃亏。个别合同缺少经验所暴露的不足和缺陷，可以通过其他形式弥补。

让秦文彩和石油人特别欣慰的是，中央再次强调我国海上石油开发与外国公司的合作不仅要继续，而且要坚持下去，甚至可以不断扩大范围。让外国公司有利可图理所当然，不应因此束手束脚，只要有利于加速我国海上石油开发，争取到更多的外国资金和技术，有利于我国四个现代化建设的事，石油部可以放手大胆地干。同时，在与外国合作中，可以充分利用我国的人力和资源国的自身优势，比如在建设服务基地和基地服务工作方面，尽可能地不雇用外国人员，由我们自己来做，争取“肥水”不外流。

中央领导十分肯定论证会上专家们提出的关于加速我国对外合作开发海洋石油立法的建议，给秦文彩留下了深刻印象。他深感对外开放的复杂性和广泛性，同时切身体会到什么是现代化、什么是全球化、什么是国际化……

“秦部长，报告一个好消息：听说那位女士已经被抓起来了！”突然有一天，有人兴高采烈地跑来对秦文彩说。

“哪个？”秦文彩愣了一下，问。

“就是写信告我们是卖国贼的那位女士。中科院的！”

“噢——”秦文彩想起来了，“她怎么啦？”

“她向外国人出卖情报，被我安全机关抓住了，据说马上要判刑！”

秦文彩轻蔑地“哼”了一声，说：“没想到她骂了我们好一阵卖国贼，最后自己反倒成了真卖国贼！可悲。”

“现在想起来，我们真得感谢这位女士，是她挑起的那次大论战，反倒让我们更清醒地认识到对外开放的复杂性和重要性，以及同外国公司合作中必须坚决捍卫国家利益和相关法律法规制度建设的必要性……”历史已经翻过了许多惊心动魄的岁月往事，当现在的秦文彩再评说起那次大论战和那些辱骂他和石油部是“卖国贼”的人时，已经并不在乎了。

不过，我让他再往下说说那些外国公司后来在我海上开展工作的情况时，这位老石油人的脸上顿时涌起愁云，只见他抬起右手，拢了拢满头花白的银丝，长叹一声，说：“人民内部矛盾和各部门、各地区的本位主义，有时也能害死人哟！”

“真的吗？”

“可不是。”

第十一章　总书记震怒

中南海，1981 年 5 月 20 日，夜。中共中央总书记胡耀邦的办公室里灯火明亮。

新华社的一份《国内动态》清样就搁在办公桌上。胡耀邦边翻阅，边不时批下几个字。其中这期的动态清样里有篇题为《中法合资石油公司工作中急需解决的一些问题》文稿，让胡耀邦总书记越看越皱起眉头，最后，他竟然拍案大怒：不像话！

灯光下，总书记的身影在不停地移动。

“谷牧、依林并秋里同志：此件事中所反映的问题究竟要归哪个部门负责解决？湛江市的地皮问题如果属实，那问题就太严重了，哪还说得上有什么整体利益的观念，说得上有国家民族的观念？必须要省委查明，并限期要他们解决。其他问题也要查明，并迅速改正和解决。”

胡耀邦写完上面一段批示后，仍觉不解心头之忧，于是又在批示顶端写下两个大字：速送！

总书记发怒的批示，当日送到了负责经济工作的谷牧、姚依林和余秋里三位副总理手中。三人都在同一日作了具体批示。责成重新回到石油部主持工作的康世恩处理。

湛江的事情是这样的：这年 4 月中旬，一名新华社记者跟随香港工委组织的中国银行香港分行、华润公司、招商局和蛇口建设指挥部等中资驻港单位的代表，到湛江南海油田指挥部参观学习。在这过程中，这名记者通过采访和调查，发现了我方与外国公司合作中出现的一些问题。

比如地皮问题。根据中法合作协议规定，在合同签订后，法方公司的雇员需要有自己的生活基地，这也是中法合同中有明确规定的。海洋石油勘探工作点虽然在海上，但钻井平台只是施工时的场所，不能成为生活和后勤的保障地，因此每个海洋区域的石油钻探队伍都有自己固定的生活基地，国际合作项目也不例外。法国道达尔公司与中方合作的协议签订时间是 1980 年 5 月，但到了第二年的 5 月份，法方人员的生活基地仍然没有建立起来，所以道达尔公司只好在中国香港“新世界中心”为员工们包租了 30 套房间，供海上工作人员及家属居住。

新世界中心在中国香港也是一流的酒店，一天一套房间就要上百美元，而且海上工作的这些人员还要每月来回在湛江—广州—香港之间至少飞 3 次，这样一年下来，少说就是几百万美元。这仅仅是开始，如果将来到了采油阶段，法方的人员就得增加到几百人，仅仅这一笔开支就可能高达几千万美元。这笔钱是中方要花大头的，因为按合同比例，我们的股份占 51%。中法合作委员会中方首席代表王彦对湛江有关方面迟迟不能把“道达尔村”建立起来，心痛不已。他进而向新华社记者反映：中法两国海洋石油勘探协议签订后，我石油部门就赴湛江考察选择，当时选择了湛江坡头区海边上的一块地方，准备建“道达尔村”，即法国公司生活基地。那块海滩地，原是一片荒滩，千百年来一直闲置在那里，任凭风吹浪起，从没有人问津它的价值。但当地听说要在这里建“道达尔村”后，一夜之间这里便成了宝地。也不知谁放的风，说征地能获得多少多少钱，连每株树苗都能赔个猪崽的价，于是农民们想以最简单的方式换取一夜暴富，他们争先恐后地在荒地上插满树枝、树苗，转眼间，荒滩地成了一片景象十分离奇的“密林”……

“你们要地？可以啊，那就得赔我们的树木钱！”

“别小看我这些树苗苗，它可费了我几辈子的心血啊！什么，不赔？不赔你们就别想在这儿建房子！”耍赖的人吹着口哨、哼着山歌才不怕呢！

“基地筹备组人员被农民们折腾得根本不敢露面，于是他们希望当地政府部门出面。人家笑眯眯地说：工作可以做，但你们得出点‘血’，再说农民利益我们不能不保障嘛！”

“你们搞油的，有的是钱，再说那钱又不是你们自己的，多花点算什么，别那么小气，改革开放了，不吃你们大户，我们怎么致富呀！”有人说得更干脆、更赤裸裸。

于是，“道达尔村”仅仅征地就征了近一年没有个结果。

秦文彩他们着急啊！一方面花那么多外汇心疼，另一方面法方也不满意，说员工这样长期住在香港，上一次班来回好几个小时，而且也增加了许多不安全因素，这对国际雇用和招聘人员也会有很大影响。法方多次催逼中方尽快解决生活基地问题。“不然，影响施工的责任只能由中方负责。”道达尔方面屡次发出类似的警告。

当海上的勘探开始后，每天都会有蓝眼睛、高鼻子的外国人出现在湛江街头，封闭的湛江百姓好奇地看着这些洋人，看着他们大把大把地花钱喝咖啡、吃大餐，十分羡慕。但这种情况令另一方面的人士大感不安，这就是驻守湛江的军方人士。

“湛江是我海军南海舰队的司令部所在地，怎么能允许外国人随便进入这个城市呢？”

“一旦军事秘密被外国特务刺探到，谁负责？”

军方人士以最严厉的态度，坚决抵制外国石油公司的人员进入湛江市区和有关海域。他们迅速把问题反映到上面，当得到的答复是海上石油开发是经中央和总参同意时，湛江军方人士又做出了另一种“保密”措施：凡是可能涉及外国人路过的地方，都竖起一块醒目的"外国人未经许可不得穿越"的大牌子。一时间，湛江城区内外，插满了这样的牌子。

"这是什么意思？你们中国人是不是不欢迎我们来帮助你们找油？我们不是坏人，更不是特务！我们只是受雇于石油公司来赚钱和工作的。"道达尔雇员们面对寸步难行的湛江之地，大惑不解地责问秦文彩他们。

"简直是荒唐透顶！什么军事秘密，外国人用卫星把我们的汽车牌子号码都能拍得一清二楚，你们就把几百亩、几千亩的地盘想掩蔽起来？不是很可笑吗？"

"那是他们的事。我们作为海军基地，必须遵守自己的保密制度。外国人就是不能进入我们的军事禁区。"

"军事禁区？禁谁？你们要知道，你们这样做的结果是：禁了国家对外开放的大事！"

"海防建设是国家更大的事情，你保证这些来湛江的外国人中没有坏人？你能绝对保证吗？"

"这、这不是抬杠吗？"

"不是。我们是在捍卫国家和军队的尊严。"

"扯淡！我也是老军人！我就不懂得捍卫国家和军队的尊严了？"

"既然你也是老军人，你就更应该理解我们，现在不是流行'理解万岁'吗？我们特别需要你们石油部门的理解。"

秦文彩有过几次直接与湛江军方的交涉，可几乎每次都是憋一肚子窝囊火。

更有甚者，施工人员到海上平台工作，必须乘坐直升机。飞机刚刚起飞，立即被军方阻拦，并且命令道：必须事先申报，否则不得擅自飞越"军事区域上空"。

"申报可以，我们以后注意。但你们说的'军事区域上空'的范围也太没有边际了，明明直升机飞越的线路距你们的军事基地很远，怎么还不让飞？”

“当然不行。因为飞机是有高度的，飞得越高，往下看的视野就越大，我们的军事基地不就都暴露在外国人的眼里了吗？”

“那我们的飞机就飞低点，低到你们认为可以的高度。”

“光飞低也不行，在整个飞行过程中，必须把飞机的舱窗盖住，不能让机上的人往外看。”

“这……这是什么事嘛！”

“必须这样，否则直升机就不能飞行。”

当南海油田指挥部的同志向秦文彩反映这些问题时，作为一个身经百战的工业部门负责人，他竟然哭笑不得。

“秦部长，塘沽那边更了不得！当地老百姓看到日本人的海洋勘探生活基地就建在离大沽口炮台仅几百米的地方后，群情激愤，扛着铁锤和锄头，说坚决要把‘日本侵略者’的房子砸了！他们把我们的合作伙伴当侵略者了，这可怎么办？”

令人哭笑不得的事还有更多——

地方和军方是这样，石油系统内部的情况也好不到哪里去。人们的思想仍处在封闭和观念陈旧的时代，对外国人尤其是西方世界的外国人，内心存有恐惧和仇视感。这也难怪，中国人民和中华民族，从1840年鸦片战争开始，饱受了外国侵略者的百年压迫和屈辱。新中国成立之后，一直在独立自主、自力更生的旗帜下，过得虽说苦一点，但却是没有人欺负，精神上扬眉吐气的日子。现在高鼻子、蓝眼睛的洋人又想来“掠夺”，民族自尊和爱国感情使他们无法接受和理解对外开放的意义及真心实意地在自己的家门口和日常生活中接纳洋人为友。

摆脱陈旧观念，消除民众心理上仇视洋人的习惯势力，这是比秦文彩他们展开与外国公司合作海上找油之路更为艰巨的事，甚至并不比与洋人马拉松式的谈判简单和轻松。

有些事，让秦文彩和具体管事的中方海洋石油工作人员更加操心、闹心，甚至烦心。

按照合同，中外双方在正式施工时，都是以合资公司的名义实施具体勘探工作的。由于受“宁左毋右”等思想的影响，总认为对外国人的态度越厉害越说明自己“爱国”，在谈价格时抬得越高越是“爱国行为”。比如外国公司需要租用一间十几平方米的简陋办公室，每天要收五六元钱，这个价格比当时广州的东方宾馆还贵。合资公司里的外国雇员都是穿着西装上班，中方为了使合资公司里的工作人员服装整齐，便发放了制装费。但有些干部坚持要穿自己的工作服和旧衣服，说这是“无产阶级与资产阶级的区别所在”。法国公司因工作需要雇用了几十名中国服务人员，包括司机、搬运工等，可这些“中国工人阶级”一见外国管理人员管他们时，就瞪眼耍脾气，反而责问人家：“在我们的国土上，你洋人有什么可神气的？”“我是这里的主人，你管得着吗？”甚至公开辱骂对方。有人出面想制止这种行为，则被骂成是“洋人的走狗”“拍侵略者的马屁”。

“岂有此理！”多少回秦文彩一听这样的汇报，便愤然而起，可“岂有此理”的事何止这些。

转眼又是新一年的9月下旬。时任中共中央总书记的胡耀邦办公桌上，又一份新华社《国内动态》清样刊载了一篇题为《在海洋石油勘探局工作的外国专家工作和生活中需要研究解决的几个问题》，其内容再次让总书记震怒。

真是岂有此理！只见总书记神色凝重地奋笔疾书，写下了这样一段批示：

……这个材料反映了一些荒唐的事，看了之后，真是使人又气又好笑。现在，全党都同意要开创新局面，要提高经济效益，如果不重“创”这些可恶的东西，新局面如何开创得出来？效益怎么能提高？几年来，我深感我们许多规定、做法，加上某些人，根本不是为了搞社会主义，而是妨碍社会主义。这些问题要下决心，有多少扫多少，否则一切都会流为空谈！

又是什么“可恶”的事让总书记如此震怒？原来，这份新华社内参，反映了日本石油公司在我国天津的渤海地区进行海洋石油勘探合作项目工作中出现了这样一些问题：

比如石油部在塘沽的海洋勘探局工作区域，许多地方也被列入了“军事禁区”，参与中日、中法海洋石油合作项目的外国人，每次出出进进，都必须到天津外办、公安局、警务区等单位办通行证，且手续烦琐复杂，有时要等很长时间，使外方工作人员无法正常工作。海洋石油局希望有关方面将“军事禁区”的牌子挪动一下，有人告诉他们：这是50年代就定下的禁区，谁想移动哪怕是一米，也得报批。

比如，美国船级公司的检验师要经常去大港上古林的石油部某公司检验导管架部件，由塘沽经盐场去那儿的公路往返需一个半小时。但因为这条路不让外国人走，所以只能绕天津而行，结果要多跑上五个小时。“每天我应该工作八个小时，可现在实际上只能干两个小时还不到，你们中国怎么能够容忍这样的低效率？”美国检验师发牢骚道。

再比如，某石油勘探生活基地附近有一排部队的电线杆。因为外国石油公司的专家每天上下班要在电线杆下的公路上经过，有关单位就找到石油海洋局，要求他们出钱把电线杆移位一百米。“否则就可能有外国人窃听电话。”

荒唐的事远不止这些。摆在秦文彩等人面前的怪事有些你听了以后甚至会捧腹大笑，但却件件真实有据。在南海的英国 BP 石油公司与我国签订了海洋石油勘探合作项目之后，按照国际惯例，他们通过招标，与中国华威公司签订了一份服务合同。谁知合同签订没几天，突然有一天《羊城晚报》上发表了一则消息，说这一合同为“非法合同”，而宣布这一消息的是中国南海石油服务公司。

“荒唐可笑！”这事后来反映到了国务院领导那里，总理亲自过问，并请一位副秘书长同广东省领导协调后才算平息了这场让外国人怎么也弄不懂的风波。

凡此种种，一件件看似怪事奇事，却都是对外开放时他们需要攻克的一座座碉堡和必须铺平的坎坷之路。

如何在保证中国主权不受侵犯的前提下，使外国公司能够按照合同，在中国海域顺利地开展工作；如何使外国专家和雇员能够在中国的领地上正常工作和生活；如何使中国自己的公司在服务承包中尽可能多地获得机会；如何使我们的队伍在与外国公司的合作中学到本领；我们的法规法则如何与国际惯例接轨等问题，无时无刻不在秦文彩等中国海洋石油开拓者与组织者的脑海里闪动着、思考着。这期间，秦文彩等在石油部党组的统一领导下，遵照中央定下的对外合作的大政方针，开始围绕既能体现中国特色又要与国际接轨的宗旨，开展相关法律法规的研究与制定工作……

“我的头发就是那个时候开始发白的。”秦文彩抚摸着满头板寸银丝，感慨地回忆当年的峥嵘岁月。

“来之不易啊！我记得为了建一个专用码头，光在北京，我出面就跑了 40 多个部门，到底磕了多少个头连我自己都记不清。为制定一部与外国公司合作的《标准合同》，我们几十位专家，用了十几个月时间，方方面面征求意见，跑遍了几十个国家的石油公司，一次次比照、推敲，……这就是改革开放初期的工作难度。但再难，历史的车轮仍在快速向前，我们这些具体干活的人，就是凭着一股革命激情，靠摸着石头过河的本领，克服了一个又一个难题，使对外合作一步步往前推进。这中间，真得感谢总设计师邓小平同志，因为在海洋石油对外合作碰到绕不开的难题时，最后几乎都是由小平同志亲自出面、亲自拍板的。党中央和国务院的英明决策与高效的工作作风，也是根本保证。但我要说的另一句话是：中国的改革开放是个全局的问题，光靠上面决心大还不行，下面也得积极主动。尤其是改革开放初期，国家的许多配套政策不健全，资金又十分紧缺。这个时候，发挥下面的积极性、主动性就显得尤为重要。比如说我们搞海上石油对外合作项目，过去国家根本没有搞过，所遇到的一切问题都是新的，与旧体制可以说是格格不入。怎么办？你要等政策、等资金齐了再干，机会就可能全部失去了，工作无法有进展。所以我们的思路是发挥自己的工作能动性和主动性，没有钱，就争取政策上的支持，有了这，我们等于就啥都有了……”秦文彩列举了中国海洋石油事业从无到有、从弱到强的一系列战略成果，几乎无一例外地证实了他的这一体会和经验。

改革开放初期的中国，百业待兴，而新旧体制、新旧观念之间的矛盾与斗争异常错综复杂，现在的年轻人很难理解当时每推进一项新的工作所要付出的代价。尤其是对外合作过程中所遇到的问题，常常可笑而又真实。秦文彩笑言，他在改革开放初期经历的与“老外”合作的八年，并不比当年当“八路”时与小鬼子打仗的八年全面抗战轻松。

“令人欣慰的是，我们的辛勤没有白费。当年我们所研究和制定出的中国石油对外合作的许多法规制度，包括管理理念、技术标准、经营模式甚至是成本核算、效益统计方式等，直至今日仍然被继续和沿袭了下来。这就是我常说的在对外开放、对外合作中有两大任务我们必须要完成：一是锻炼和提高自己的队伍，二是搭建我们通向世界的平台……”

秦文彩的目的都达到了。

第十二章　破天荒后尽是春……

1982年的春天，中国大地上到处阳光明媚，春意盎然。在拨乱反正、解放思想和改革开放的旗帜照耀下，各行各业呈现喜人景象。石油工业战线也不例外。在历经1980年产油下滑的低潮后，全系统落实“包干1亿吨”的大承包措施，影响中国现代化进程的原油年产量到1981年年底重新回升到了1亿吨以上。更令人鼓舞的是，对外合作的海洋石油勘探工作形势超出了预期的进度与效益。

这一年的2月15日，在中国第一街——北京长安街31号的一幢三层小楼门口，突然出现了一个白底黑字的牌子，上面写着“中国海洋石油总公司”。

没有鞭炮与锣鼓齐鸣的揭牌仪式，没有前呼后拥的多方领导和各界人士参加的剪彩典礼。然而，这个中央人民政府下属的副部级单位就这样悄然诞生了。当日，新华社用通报的形式向全世界作了报道，国外有媒体评说这是中国对外开放的一个“重要战略举动”。路透社等西方媒体则认为，“中国海洋石油总公司”好比中国开启国门后，驶出的第一艘面向世界的巨轮，它的意义不可估量。

这艘“巨轮”的船长，就是秦文彩。他在同一时间被中央任命为中国海洋石油总公司的首任总经理。他的副手是：赵宗鼐(后任中组部副部长)、刘东明、尤德华、钟一鸣、赵声振。翌年，又有邹明、张英、史久光、舒志清4名德高望重的石油专家当了顾问。从石油工业部的副部长，到中海油的总经理，秦文彩连自己都不知道到底是升了还是降了，但开动中国海洋石油远航的巨轮，是这位老战士多年来的一个梦。尤其是在改革开放几年来同国外公司的合作过程中，秦文彩一直在做这个梦，他无时无刻不在期待中国自己的海洋石油公司这艘巨轮能够造起来，能够扬帆远航……

现在终于看到了巨轮，自己也登上了巨轮，握住了轮舵——挂牌的时候，秦文彩独自站在那儿凝视了许久，那一行竖写的九个字：中—国—海—洋—石—油—总—公—司。

“九”很吉利，竖看，这九个字像一张帆，一张鼓风习习的帆；横看，这九个字，像长长的起航了的载满原油的中国油轮；如果再微微合上眉睫看这九个字，它仿佛像海平面上耸立着的一座座探秘海底世界的钻井平台；如果再闭上双目想象这九个字，那它一定是经过中国石油人辛勤劳动所探得的一个又一个大油田……啊，这就是秦文彩多少年来梦里所期待的世界，那个令他神往而激动的缤纷世界！

与老石油部的办公条件相比，当时的中海油总公司好比一个可怜兮兮的皮包公司。“几十个人，一些从石油部里弄来的破椅子、旧桌子，就是我们的全部家当。但我们的人个个兵强马壮，一个顶仨！”秦文彩曾经不止一次这样自豪地对中外记者说。

“中国对外开放的过程来之不易，中国海洋石油对外合作的过程更来之不易，现在我们总算有了自己的旗舰，这旗舰的航程怎么走？走得怎样？要叮嘱的话有很多，但我要讲最重要的两句话……”康世恩在中国海洋石油总公司第一届领导班子组成后，语重心长地对秦文彩说：“一是必须依法办事，合理不合法的不办，但要努力争取有法可依，做到有章可循，办事高效；二是干部队伍及广大石油人要在对外合作中发扬和提倡‘出淤泥而不染’的荷花精神。”

“荷花精神”，是康世恩同志亲自为这支走向中国对外开放最前沿的海洋石油队伍所确定的指导方针。几十年来，他们一直遵循着这一建设方针，所以队伍始终没有在风浪中迷失过方向。三十多年过去了，“中海油”的掌舵人，由钟一鸣、王彦、卫留成，再到傅成玉，他们沿着首任“老船长”的航线，乘风破浪，接力前进，从没偏离过方向。这是秦文彩最感欣慰的。

没有驾过船的人，是不可能体味乘风破浪时的那种惬意和心跳的。没有经历过在大海上脚踩平台、令一节节钻杆飞旋于千米之深的海底那种海上找油生涯的人，是无法感知破天拓荒的那种沸腾与激动的。

秦文彩和中国石油人都经历了，经历了从一个封闭社会迈向一个全方位开放与合作的新世界的全过程。这中间，有好奇，有阵痛，有欢乐，有眼泪，甚至还有愤怒与烦躁，孤独与寂寞，而这都是破除一个旧的体制、旧的思维与观念、旧的行为准则的必要过程。

这就是中国石油人的又一次破天荒。第一次破天荒，是他们在松辽平原上找到了大庆油田，从而结束了中国人民“依赖和使用洋油的时代”。秦文彩他们的这一次破天荒，是用洋人的钱，为我富民强国服务。这是多么自豪和神气的破天荒！它显示的是中国人的民族自尊与主权威力。

自古破天荒者皆是英雄与天才。200多年前的大洋彼岸是一盘散沙，是华盛顿和杰斐逊等先知们缔造的一部《独立宣言》，使美利坚合众国从此结束分裂，有了一个可以称霸全球、惠泽千秋的政权体制。

也许经历过太多的磨砺与周折，使秦文彩等一批海洋石油的对外开放领军人物深知一件事：中国对外开放是建设中国特色社会主义的重要步骤，完备的法律体系是中国走向世界的基本保证。

这也是康世恩同志的嘱托之一。

有心的新闻记者会注意到一件事：就在中国海洋石油总公司悄然挂牌的第二天，《中国日报》和《经济日报》两大报纸分别用英文和中文刊发了中国海洋石油第一轮国际招标的公告和 1 号、2 号通知书。一个副部级单位，第一天挂牌，第二天就进入国际招标公示，这样的办事效率、办事作风，在人民共和国的历史上恐怕是史无前例的。问题的关键是，这样的国际招标，在一向坚持独立自主、自力更生了几十年的封闭式的中国社会里，它的举动本身和招标的内容，都给中国以外的世界传递了一个非同寻常的信息，那就是：中国现代化的进程已经开始进入了全球化的经济运营轨道，其行为和方式都显示出一种成熟与理性。

而为实现这“成熟和理性”的过程，秦文彩和同事们真可谓呕心沥血，费尽心思。

早在 1978 年海洋石油对外合作刚刚起步，秦文彩在康世恩、张文彬及唐克等领导下，就着手组织尤德华、唐昌旭等专家开始起草《中国海洋石油对外合作条例》（以下简称《条例》）。尤德华和几位专家至今仍清楚地记得：他们在原北京石油学院的南教学楼上，凭着一腔革命热情和对全新事业的追求与憧憬，用 1000 多个日日夜夜，通过对收集到的 40 多个国家的石油法规文件资料和 120 多种石油合同样本的汇总分析与梳理，最后形成具有中国特色的自己的条例。秦文彩戏称这是“把一个鸡蛋的家当，变幻成普希金童话诗中的小金鱼的传奇”。

中国的《条例》因为针对的是同外国公司的合作关系，所以《条例》的产生，需要听取外国公司和专家们的意见。在利益关系和主权问题上，外国人坚持认为：如果合作双方发生利益上的法律之争，必须通过国际共同认定的法律机构进行仲裁。这听起来似乎很符合“兄弟俩打架，必须请老子或局外人做裁判”的游戏规则。“不行，我们是资源国，在中国境内发生的事，无论是中方的还是外方的，或者是双方的事，都必须遵循唯一的法律，那就是中华人民共和国的法律。《中国海洋石油对外合作条例》必须体现中国的主权，在这个问题上，我们不设‘特区’。”秦文彩的这一原则意见，得到了康世恩的坚决支持。

“在这个问题上，我们决不能退让！”康世恩斩钉截铁地说。

《条例》中还有一个关键词，叫作“同等优先”，即在海洋石油的对外合作工作中，其项目的工程设计、工程建造、设备与材料采办、基地服务等领域，在同等条件下优先选用中国的企业与供应商。这是又一种国家利益的保护，秦文彩顶住诸多外国公司和权势们的压力，毫不退让。连同他后来亲自制定的在海洋石油系统非常著名的“秦五条”（外国投资者在中国开展工程项目中应尽的五条义务），都是维护国家主权的尊严，大力推进对外开放步伐的得意之作。至此，中国海洋石油对外合作开始步入法治阶段，并与国际接轨。

1982 年 3 月 5 日，秦文彩跟在康世恩后面，走向庄严的人民大会堂。

“文彩，你也不是第一次进这大会堂了，怎么那么紧张啊？”康世恩见自己的老部下、新任“中海油”老总的秦文彩今天显得有些拘谨，便转头开了一句玩笑。

秦文彩的脸红了一下，坦言道：“这一次可不一样，是我直接向全国人大专题汇报我们的《条例》，它关系到我们海洋石油的整个事业，我感到肩上的责任重啊！”

“是啊，责任重大。”年近七十的康世恩听后也不由感叹道。随后，两人一起健步进入人大会议厅……

“现在请秦文彩同志就《中国海洋石油对外合作条例》作介绍和说明。”这是彭真委员长的话。

掌声之中，秦文彩走向发言席，开始了向中华人民共和国最高权力机关的演说。“只能成功！”秦文彩的内心一直在这样鼓励自己。

“现在，我受石油部和中国海洋石油总公司的委托，就《条例》向各位委员长作如下说明……”秦文彩从我国辽阔的海域、丰富的石油资源，讲到国家海洋石油工业的现状和海洋石油高风险、高投入、高科技的特点，再讲到世界勘探开发海洋石油通行的国际惯例等方面，指出：“为了顺利推进我国的海洋石油的对外合作，我们必须进行石油立法。”

“《条例》既维护了我国的主权和经济利益，也让外国投资者的合法利益得到了法律保证，从而保证了对外合作能够在平等互利的原则上得以顺利推进。《条例》的通过与实施，必将大大加快中国海洋石油工业的发展速度……”秦文彩的最后一段话，激起了全场热烈的掌声。在离开发言席时，他有些心花怒放，因为他看到彭真委员长的鼓掌最有力，并且在冲着他微笑。

人大会议和之后的常委会会议的讨论结果，完全达到了秦文彩和康世恩期待的效果。不日，经中国国家最高权力机关批准的《中国海洋石油对外合作条例》，以国务院的名义，正式对外公布。

那一刻，秦文彩和中国石油人无不欢欣鼓舞，奔走相告。

“有法了！我们总算可以放手大胆干了！”

“OK，中国也有石油法了，我们也可以放心大胆地干了！”外国石油公司的老板们也在欢呼和奔走相告。

风平、浪静，阳光、温暖，蓝天、白云……石油人期盼的中国海洋风景，在南海，在东海，在渤海湾都已呈现。

英国的BP公司来了，美国的阿科公司来了，日本的石油公司也来了……一架架现代化钻井平台，一座座海上石油城，一支支从海底深处喷燃出的蓝光火炬组成的中国海沸腾起来了！它构成了20世纪80年代初期中国现代化工业走向开放的一道最为绚丽的风景线，深深地吸引着全世界的目光……

这道绚丽的风景线，如今依然是中国特色社会主义工业战线上最令人激动的伟大篇章之一。

然而，要使中国海洋石油开发能够更好地与国际接轨，此刻的秦文彩觉得，需要做的事还很多，尤其是中国这样一个长期在计划体制下运营的国度，某些僵化和低效率的体制，在当时还仍被作为一种"先进"的东西所提倡。"我们的中海油总公司从成立初始起，就特别注意了采用能与国际接轨的石油公司体制，简单地说，就是要把它建成一个高效率的公司体制，而非人浮于事的戴帽公司。过去我们在陆上搞油田，由于特殊的年代和通常采用人海战术，往往一个油田建成时，油田同时又成为一个几万人、十几万人、甚至几十万人的城市了。这种油田兼顾社会功能的体制、机制，使得石油生产和油田效益大大降低。如果是一个前景很好的油田还能对付，倘若日后油田的采油不断下降的话，所带来的问题就非常严重。中海油总公司成立时，我们坚决按照党中央和石油部的指示精神，力图在体制、机制上闯出一条新路子。所以从一开始就确定了'决不照搬国内的扯皮机制，以适应中外合作开发的特点'等方针原则。你比如说，我们没有搞'大而全'的所谓什么级别、多大的总部架子，而是严格按公司的模式来组建公司。一句话，从上到下，都得精干高效。实践证明，这一原则是对的，中海油总公司成立初期不足20000人，现在近三十年过去了，产量增加了几百倍，而在册职工才25000多人。要是照着过去我们传统的体制做法，那今天的中海油还不得有几十万人！拖着几十万人的负担，再好的效率，早晚也被拖得一塌糊涂！"秦文彩还给笔者介绍了他所坚持的另一个原则："我们过去一直习惯于党委领导下的厂长负责制。中海油总公司成立时，我顶着政治风险和各种压力，坚持经理负责制。这在今天看来已经不是什么问题了，可在改革开放初期，别说这样的做法，就是这样的提法都可能带来不少麻烦。庆幸的是，我们在中央和石油部党组的正确领导下，坚持了这一原则。所以中海油的总经理负责制，可以说是在全国行业中实行最早的。二三十年前，一下要把那么多带'长'的官衔摘掉和取消，斗争是很激烈的。但我们走过来了，而且走得比较顺利……"

历史总是对那些开国元勋们怀有特别的敬意。同样，人们之所以格外敬重开拓者的功绩，道理也在于此。中国的改革开放之初，每进一步、每上一个台阶，无不充满风雨冲刷和矛盾斗争，一切成功者都是在这样的风雨与斗争中挺立过来的。秦文彩是其中的一位勇敢而成功的开拓者，在他的身边和身后还有一大批勇敢和成功的改革者、探索者，正是他们这样一批人的不懈努力，英勇无畏，聪明才智，中国才换来今天如此辉煌的改革开放成果。

"从 1978 年开始从事海上石油对外合作工作，到后来出任中海油总经理，一直到 1987 年退居二线，近十年间，我们中国的海洋石油从无到有，从弱到较强，不仅发现了一批非常有前景的海上油田，为国家上缴了巨额利税，更重要的是培养了一支熟悉海洋石油勘探与开发和国际合作的专业队伍，这是我们的无价之宝，也是中国的无价之宝。"秦文彩最得意这一点。说到自己的工作时，他极其简单地列举了一个数字："中海油刚成立时，国家只给了 1.2 亿元，我们自己又到银行借了 8000 万元，我离任时，除了缴税和还清这些钱外，公司账上存了 3 亿多美元的收入……"

"现在的中海油更了不得了，2007 年的年销售收入 1593 亿元，实现年利润 565 亿元，上缴国家税收和特别收益费 374 亿元。截至 2007 年底，中海油总公司的总资产达 3062 亿元，净资产达 1670 亿元。公司全年获得的油气当量为 4046 万吨，成为支撑中国石油天然气能源的三大特大型国有企业之一。不到三十年时间，我们石油行业的对外开放和对外合作取得了如此巨大的发展与进步，作为当事人之一，每当回忆起当年中国对外开放的初期情景，就像一场梦，但那是一个好梦、美梦。如果一定要说，那就是：我们在党中央和邓小平的直接领导与指挥下，依靠各个部门、各条战线的大力支持，发扬了中国石油人的聪明才智，使得原本想都不敢想的美梦变成现实！”秦文彩说这话时，脸上荡漾着无限光芒。

在秦文彩的八十寿辰上，有人请他总结自己一生的“成功经验”时，他给自己概括了四句话：做人要以德为本，干事要以诚信为基，知识来源于勤奋，才能来源于实践。

中国对外开放和海洋石油事业走到今年，从某种意义上讲，不也正是遵循了这样一种“人生哲学”，或者说走的也正是这样一种“国家哲学之路”吗？

呵，三十年——在历史的长河里，它只能算作弹指一挥。但对一个人的生命而言，三十年并不算短，当年50来岁的年富力强的政府部长，三十年后的今天变成了步履蹒跚的老人。

三十年，中国的变化好比北京的变化，你几天、几个月不出门，就可能迷失方向，不认得路了。

三十年前，秦文彩为了给前来洽谈合作的外国朋友找个住处，竟然要开着吉普车，满北京城地跑啊，找啊！最后发现除了北京饭店，只能去圆明园和颐和园内找那些荒废了的庭院做外宾的住宿点和两国之间的谈判地；三十年后，北京奥组委的官员向全世界宣布：北京四星级以上的宾馆就有几百家，能够一下子接待前来参加和观看奥运会的20000多名外宾。

三十年前，中国由于自己的能力、技术上的落后和资金上的短缺，需要请外国石油公司帮助我们找油。三十年后的今天，中国石油的“海外兵团”已经遍布世界各地，他们分别在中东、南美、中亚、非洲等地的国际找油战场上打出了威风，每年生产油气当量超过 7000 万吨，为缓解我国国内的能源紧缺做出了特殊贡献，同时还为国家挣得大量外汇。

三十年前，秦文彩和他的中国海洋石油团队只能在几间灰尘满屋的三层小楼里办公。三十年后，耸立在北京东二环与外交部斜对面的那幢高入云霄的“中海油”新楼，气势磅礴，昂首远眺，如同一艘高速行进的巨轮，正在为我们伟大的祖国奔忙着、奉献着……

后记　穿越无法想象的历史与现实

历史是无法想象的，就像我们无法想象自己的命运一样。曾几何时，你能想象出石油这个东西会跟我们每个人的命运紧紧连在一起？然而现实中的我们，如今几乎每个人都患上了“恐油症”。在20世纪，就有人说“石油主宰了20世纪”。而到了21世纪的今天，人们似乎才真正发现：主宰人类命运的“石油世纪”刚刚开始……

2008年1月，世界石油价格突破每桶100美元而曾经引发全球的惊恐。然而又有谁会想到：仅仅过了几个月，石油价格每桶又涨了几十美元，竟然达到每桶140多美元的高价！

这在20世纪是无法想象的事。1990年之前，世界石油价格每桶仅在二三十美元的价位上徘徊。到1997年，世界石油价格不仅没有往上涨，反而降到了每桶19.3美元。这还不是最低谷的时代。进入1998年，世界原油每桶价格一度落到不足10美元！如此低的原油价格，使全球的石油公司纷纷倒闭。有一位西方石油公司的老板，其公司在前3年还一直处于世界500强之列，可到了1998年，他的跨国公司却出现了几百亿美元的严重亏损。别无选择，最后他选择了结束自己的生命。纵观过去100多年的历史，石油这个“黑色乌金”的价格每次企图往上蹿动时，无不是政治家和石油投机分子在通过战争或恐怖手段恶意背后操纵。但时过10年，到了21世纪的今天——2008年，仅仅一个春季，短短三四个月时间，因为美国的一个“次贷危机”和一个没有多少实际影踪的伊朗“核事件危机”，石油价格却扶摇直上，一直翻到了每桶140多美元的价位！

从10年前的不足10美元，到今天的140多美元，这种变化谁也想不到。

受此影响的也不再仅仅是富有的西方人，刚刚有车的中国人同样惨遭影响，没有车子的其他中国人也毫不例外地为油呻吟——石油的涨价连同其他物价的迅猛提升，使全世界一半以上人的生活受到影响。

一时间，“黑色乌金”似乎变成了降低人们生活水准的妖魔。我们都害怕它，甚至憎恨它，但似乎又毫无办法。其实石油本身是无罪的，操纵它命运的那些人和那些既得利益国才是真正的罪魁祸首。

中国是个发展中国家。中国这30年的发展速度之迅猛，也是没有人能想到的。世界经济发展与现代化的人类文明史告诉我们这样一个严酷的定律：越是发展与发达的国家和社会，越离不开石油。因此，石油越来越影响着中国迈向现代化的进程。石油也因此主宰着正在享受国家现代化文明成果的每一个中国人的命运——你想过上更好、更富的日子，你不得不向石油俯首称臣。

据权威部门统计：2007年，中国自产石油在1.8亿吨左右，进口达1.6亿吨，这是一个什么概念？它清楚地告诉我们：中国的现代化建设和在向小康社会发展的过程中，我们的路走得如何，将与石油紧密相连，同时又受到国际石油价格及供应的影响。

石油制约着我们经济发展的步伐，石油也直接影响着我们每个人的生活质量。而中国能发展到今天这个样子，石油起着不可替代的作用。

1964年，当大庆油田发现之时，中国政府意气风发地向全世界宣布：“用洋油的日子从此一去不复返了。”让人没有想到的是，不到20年的时间，中国的现代化建设迅猛发展，使我们又不得不重新回到了进口“洋油”的时代——而这回大量进口“洋油”时，我们依然意气风发、豪情满怀，因为它标志着我们的国家进入了一个伟大的历史阶段。它是实力和发展的象征，是幸福和自豪的指数，是我们中华民族真正在世界面前扬眉吐气的态度！

这一过程中，我们无法忘却中国改革开放的总设计师邓小平，是他领导中国人民开创了让全世界为之震撼的中国历史新纪元。这其中，中国的对外开放政策及其实施过程更是惊心动魄，绚丽辉煌，具有石破天惊的意义。许多人现在并不清楚，其实中国的对外开放是以海洋石油开发作为先导的，而且是它擂响了中国对外开放的战鼓并影响了之后的中国30年经济发展史及大国地位的确立。我认为，《破天荒》所叙述的事件，是中国共产党人在30年前所发起的那场伟大的改革开放运动中的一个极为重要的事件，是我在接受石油部门邀请撰写“百年中国石油史”之际幸遇的一个特别有意义的重要事件。所以在今年春节完成采访任务之后，我怀着十分急切与激动的心情，从大年初一那天开始动笔，断断续续一直到五一前夕正式完成了此书。

中国如果不是在1978年前后开启了对外开放的大门，也就不可能有今天屹立于世界经济大国之林的地位，也不可能有今天方方面面如此繁荣富强的可喜局面。海洋石油开采的对外合作，在现在看起来是很平常的事，可在30年前，简直就是一场惊天动地的大革命。你想想：用资本家的钱，让资本家的公司进入中国的领海，这不仅是“走资本主义道路”的问题，而且具有“卖国主义”明显特征——让飘着太阳旗、星条旗的石油平台在中国海洋上打井，且打出的石油他们还要拿走部分，这不是“卖国主义”是什么？

对外开放初期的政治斗争，其实并不亚于真理标准讨论的激烈程度。但康世恩、张文彬、秦文彩等一批石油人就这么干了！

他们在党中央的统一部署与领导下，顶着被误解为“卖国贼”的风险干了起来，而且干得轰轰烈烈、卓有成效，开创了中国石油史的新篇章，从而掀开了中国对外开放的序幕。这其中，有邓小平为核心的党中央的英明决策起的关键作用，也有像胡耀邦等领导的全力支持，更有一大批从大庆走出来的新中国石油人的智慧和勇气，是他们共同的努力，推动了中国对外开放的全面启动与崭新局面。

我们后人应该记住这一段不平凡的历史。共和国不会忘却，人民不会忘却。

石油本与我无关。但自从写了《部长与国家》后，我的石油缘就再也无法割舍了——作为一名报告文学作家，新中国的石油发展史，以及当代世界石油风云给予我的触动与冲击是巨大的，那是不可掩饰的和必须要抒写的史诗。我有幸结识了余秋里、康世恩这样的新中国石油事业的领航人，也有幸再次结识《破天荒》主人公秦文彩这样的石油勇士与杰出领导者。秦文彩部长是我继余秋里部长后结识的又一位智慧加坦诚的高级领导干部。秦部长还有一点令我十分敬佩——他一直在撰写中国海洋石油史，而且成果丰硕！他的骨子里有种文人情怀，这更让我格外尊敬他，我们因此也成了忘年交。与这样的“老八路”相识相交，我感到有种亲近感、安全感。为这样的人做事写书，我感到踏实，即使干得再多，也不会感到“吃亏”。在这些老革命干部身上，没有任何的市侩，也不会有任何功利，他们身上和内心所荡漾的只有对国家和民族及自己热爱的事业的那份忠诚与执着。

中国的石油事业、中国的海洋石油事业早已今非昔比。但我们永远不会忘记康世恩、张文彬、秦文彩等老一代石油人当年开创性的贡献。尤其看到今天中国石油人在海外的石油战场上干得那么精彩时，我更觉得老一代石油人在当年确立对外合作决策的英明伟大。

他们为祖国立下的功勋，永远成为我们国家和民族成长与发展的特殊财富。

向中国石油人致敬！向“破天荒”者致敬！

2008年夏

出版说明

何建明先生是中国文坛著名作家，长年坚守在报告文学一线。“非典”、汶川地震、天津大爆炸、利比亚撤侨等重大事件发生时，何建明先生都尽可能出现在第一时间、第一现场，将第一手材料及时地呈现给读者，将中国故事讲深、讲透、讲生动、讲精彩。他强烈的责任感和使命感让人感动，其直面真相、忠于现实的精神令人钦佩，是中国当代报告文学界极有影响力的领军人物。

有感于斯，我社特收录何建明先生近40年创作的报告文学作品，结集为《何建明文集》三十卷出版。这些作品是对时代、社会、自然和人文的记录、呈现与见证，是作者响应时代的召唤，置小我于大我之中，循着时代背景和社会需求而创作的，完整、真实地表现了社会各个层面人物的喜怒哀乐，代表了当代中国纪实文学、非虚构创作的高峰水平，大气磅礴、激情豪迈，极具胸怀和气量。其中多部作品获得鲁迅文学奖、国家图书奖、“五个一工程”奖、徐迟报告文学奖等。

每个时代都有自己的特征，每部作品都有自己的特点。为了全面展示何建明先生历时40年创作内容、使用语言和文学风格的变化，本文集对何先生已发表的所有作品原则上不做修饰和润色，除特殊情况外也不做大的删节和修改，以保证今天的结集出版，仍不失当年作品的激情和味道。